SoftBank

ソフトバンク もう一つの顔

中村建助

日経BP

はじめに

2023年10月4日、東京・芝公園の高級ホテルである「ザ・プリンス パークタワー東京」の宴会場は、何千人ものビジネスパーソンが列をなし、朝から熱気に包まれていた。列をなす理由は一つ。この場所ではこの日から開かれる企業向けイベント「SoftBank World 2023」への出席にある。多くはソフトバンクグループ会長兼社長の孫正義やソフトバンク社長兼CEOの宮川潤一の講演を楽しみに足を運んだ。日本の名だたる企業の経営層といったキーパーソンの姿も見える。

宴会場の入り口手前から通路の壁に沿ってずらっと並んで、多くのキーパーソンを迎えるのはスーツ姿のソフトバンク法人事業の営業部隊の面々。20代とおぼしき若手も多い。その数は1000人を超すだろうか。顧客に声をかけ、講演会場までアテンドする。

午前10時、何を話すのか直前まで裏方の事務局にも正確には分からないという孫の特別講演が始まった。メインとなるテーマはAI（人工知能）だ。

大写しにした1匹の金魚のスライドを「約60ページのプレゼンのうち、大事なページがあるとすればその1つです」と切り出したこの日の特別講演も、多くの来場者の度肝を抜くものだった。金魚の絵が示すのは、AIの進化によって人間の知能とAIの差が金魚と人間並み、つまりはニューロン（神経細胞）の数で1万倍に開いた時代が到来するという考えを示した。

さらに大人数の前で講演するのは久しぶりだという孫はSoftBank World 2023の特別講演でこう大見えを切った。「僕はソフトバンクを世界で最もAIを活用するグループにしたい。（中略）このAGIを心から信じて、最も活用する企業集団に進化したいということであります」。

2022年11月、突如として登場したChatGPTは世界に衝撃を与えた。登場から1年が経過した今も、関心は高いままだ。AGIは汎用人工知能の略であり、生成AIの先、孫によれば「AIが人間の英知をほぼ全ての分野で抜いてしまう」状態を指す。さらにその先に訪れるのが人類の英知の総和の1万倍になるというASI（人口超知能）の時代。金魚と人間の比較はASIが到来した時代を指したものだ。

もう一つの顔、法人事業

特別講演で大きく取り上げられただけではない。SoftBank World 2023の後、多くの顧客との間でAIをテーマにした商談が動き始めた。

AGI、さらには2022年末から世間の話題を集め続ける生成AIにソフトバンクが全力を注ぐのには理由がある。AI活用で自らを進化させるのはもちろんだが、AGIや生成AIで生まれた成果を外部に提供し、日本企業、あるいは日本社会の変革を支援する。これが本書で取り上げる同社のもう一つの顔である法人事業が目指すところだ。

ネットワークや固定電話サービスの販売からスタートした法人事業は、デジタル化、DX（デジタルトランスフォーメーション）の進展に伴い、デジタルコミュニケーション、デジタルマーケティング、デジタルオートメーション、セキュリティーなどの領域まで幅広く手がける。いわば課題解決のプロ集団だ。「エンタープライズビジネス」としてセグメントされる法人事業は2022年度の時点で、売上高7500億円、営業利益1300億円を超える。

2021年6月に開催した同社の法人事業説明会で宮川はこう語っている。

「私のスローガンの一つは日本をDX先進国にするという宣言です。通信業界からDX

の会社に変革する、パートナー企業にもDXしてもらって、日本をDX先進国にして、日本をもっと元気にして、国力を上げるプロジェクトです。真剣に取り組んでまいります」

まだ一般の認知度こそ低いものの、課題解決のプロ集団で構成される法人事業を知ることは、ソフトバンクの成長のエッセンスを知る最短経路になる。同社の全面協力の下、本邦初公開の情報を含め法人事業の強さを正面から取り上げた本書は、DXによる成長を考える全ての企業の参考になるはずだ。

法人事業の関係者がこぞって指摘するのが、事業をけん引する営業の強さ、さらに言えば個々の営業担当者のパワーである。本書は営業を支える仕組みを含め、これまでほとんど描かれなかった担当者の動きにもできるだけフォーカスした。ソフトバンク社内外を含め取材した法人事業の関係者は数十人に上る。当事者たちの行動原理や考えが少しでも伝われぱと思う。

3部構成で法人事業の実態を明らかに

本書の構成を説明する。

第1部では、ソフトバンクの次世代の成長の原動力となる法人事業の概要を記す。法人課題解決ビジネス、ソリューションビジネスで手がける事業は何か、重視する「データ活用」とは何かについて触れ、データ活用を軸とした企業支援の事例や営業の強さの秘密も掲載する。

「まず自分たちでやってみる」のがソフトバンクだ。自分たちが実際に使ってノウハウをつかみ、自信を持ってソリューションを提供できるようにする。

直近の事例として、AIやRPA（ロボティック・プロセス・オートメーション）の活用などにより約4500人月相当の業務時間を創出した「デジタルワーカー4000プロジェクト（DW4000プロジェクト）」、東京・竹芝の本社のスマートビル化などの具体的な取り組みも紹介する。

第2部では、ソフトバンクが法人事業で目指す未来を明らかにする。当初から120人の精鋭営業部隊を集めて2017年に新設したデジタルトランスフォーメーション本部（DX本部）からスタートし、自治体支援や社会インフラの革新、ヘルスケア、さらには中堅・中小企業のDX支援などを含めた社会課題解決を目指す動きを取り上げる。全社で突き進む生成AIへの対応も詳説する。これらは今後を見越した成長戦略として、ソフトバンクが掲げる「Beyond Carrier、Beyond Japan」に対する法人事業の回答としての一面を持つ。

第3部では、現在に至る法人事業の歴史を記すと同時に成長の背後にある、データ重視の姿勢とフラットな社風といった企業文化に迫る。

全社では連結売上高6兆円を見込む

ここで少し、本書を読み進めやすくするため、ソフトバンクの簡単な概要を記したい。

現在のソフトバンクが誕生するまでは、ソフトバンクグループの社名がソフトバンクだった（1981年の設立時の社名は日本ソフトバンク）。2015年、グローバル展開のさらなる加速などを目的に、純粋持ち株会社としての位置付けを明確にするため社名を「ソフトバンクグループ」に変更する。

これに合わせて、同社の子会社で通信事業を手がけるソフトバンクBB、ソフトバンクテレコム、ソフトバンクモバイル、ワイモバイルの主要4社が合併し、新会社が「ソフトバンク」の名前を引き継いだ。この新会社が手がける法人事業が本書のメインテーマになる。

ソフトバンク全社の概要を紹介する。2023年3月期のソフトバンクの連結売上高は5兆9120億円で、同営業利益は1兆602億円だった。売り上げは4つのセグメントで構成する。消費者向けの携帯電話、ブロードバンド、電気小売り、その他物販などで構成するコンシューマ事業が連結売上高2兆8831億円、本書で取り上げる法人事業を指すエンタープライズ事業が7503億円、100%子会社のSB C&Sによるディストリビューション事業が5900億円、現LINEヤフーを構成するヤフーやLINEなどによるメディア・EC事業が1兆5617億円、PayPayなどによるファイナンス事業が1423億円となる。LINEヤフーはソフトバンクがAホールディングス（ソフトバンクとNAVER Corporationが50%ずつを出資する持ち株会社）経由で議決権を64・4%所有し、PayPayはLINEヤフーとソフトバンクなどが出資する。

2024年3月期のソフトバンクの連結売上高は6兆600億円、同営業利益は8400億円を見込んでいる。

（文中敬称略）

社長、CEO／COOに関しては代表取締役を、所属部門が複数階層に及ぶ場合は一部を省略したケースがあります。本書は、役職、組織名などに関して、予定を含め2024年2月末時点で公開された情報を基にしています。

第2章

仕組みが支える強い営業

第3章

まず自ら変革を実践

第1部

企業の
を支援

第1章

40万社超と取引、データ活用でDXを支援

ソフトバンクが法人事業で取引している企業の数は40万社を超す。日本の企業の数がおおよそ全国で400万社だから10社に1社以上が取引する計算だ。

社数だけではない。年間売上高1000億円以上の上場企業に限れば9割を大きく超える企業と取引がある。取引相手のリストには、イオングループ、佐川急便、住友生命保険(住友生命)、全日本空輸(ANA)、西日本旅客鉄道(JR西日本)、日産自動車、日本製鉄、東日本旅客鉄道(JR東日本)、ファーストリテイリング、本田技研工業(ホンダ)、みずほ銀行、三井住友海上火災保険(三井住友海上)といった大手が顧客として名を連ねる。

これらの企業が、デジタルを使った課題解決のために、端末やネットワークに限らず、クラウド、RPA(ロボティック・プロセス・オートメーション)、IoT(インターネット・オブ・シングス)など、様々なソリューションをソフトバンクから導入する。

モバイルキャリアとしての知名度が高いため、法人事業と聞いてもネットワークやス

マートフォンなどの端末販売に注力していると思われるかもしれない。確かにこれらの売り上げは大きいが、現在の法人事業は、デジタルを使った企業や社会の課題解決ビジネス、言い換えればクラウドやセキュリティー、デジタルマーケティングなどを用いるDXに力を注ぐ。住友生命であれば、健康増進型保険の〝住友生命「Ｖｉｔａｌｉｔｙ」〟をはじめとしたインシュアテック、つまり最新の保険テクノロジーの展開、ＡＮＡであれば客室乗務員用のｉＰａｄとクラウドを組み合わせたワークスタイル変革など、内容も多岐にわたる。

軸足はソリューション

２０００年代後半には、モバイル、クラウド、ビッグデータ、ＳＮＳ（ソーシャル・ネットワーキング・サービス）の大波が社会を襲った。ＩＴによるソリューションの幅が広がり、デジタル技術の課題解決力も格段に上がった。このころ法人事業も、ネットワークや端末販売から、企業の課題解決ビジネスに役立つものを提供するソリューション型ビジネスへシフトした。

２０２３年度末まで副社長執行役員兼ＣＯＯとして法人事業を統括していた会長の今井

今井康之会長
写真：山出 高士

康之はインタビューで「ソフトバンクは何屋さんなのですか、モバイルを売っているだけではないのですかとよく言われます。確かに通信は収益の要ですが、現在はそれを含めたソリューションの提供にビジネスの軸をシフトさせています」と明言した。

携帯電話、ネットワークにとどまらず、その上で動くクラウドやIoTなどを組み合わせて課題解決に結びつける。要はDX支援にほかならない。

DXはデジタルトランスフォーメーション、つまりデジタルを使った変革のことだ。今井は「変革の起点になるのはデータに基づいた予測であり、予測から行動計画が生まれます」と話す。

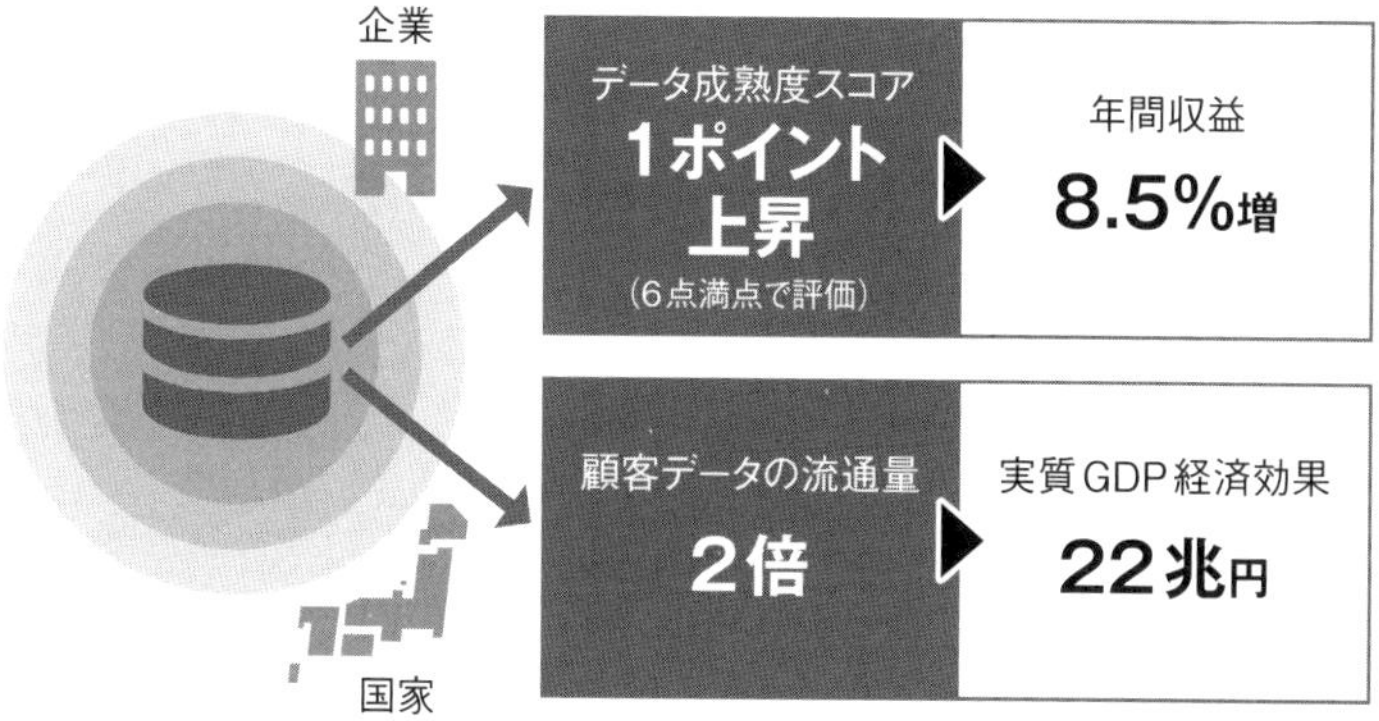

データ量の増減は企業にとどまらず国家の経済に直結する

出所：ソフトバンク、AWS Demystifying Data 2022（2022）、総務省「ビッグデータの流通量の統計及びビッグデータの活用実態に関する調査研究」（2015）を基に作成

「総務省によると、顧客データの流通量が2倍になると実質GDPが22兆円増えるという予測があります」。SoftBank World 2023の基調講演で今井はデータ活用の意義をこう力説した。

いきなり企業のデータ活用が進むわけではない。まずデータのデジタル化がある。日本企業のDXは発展途上にある。デジタル化だけでもメリットは大きい。分かりやすいのはペーパーレス化だが、ネットワークにつながっていれば、BtoBかBtoCかを問わず、ビジネスのほぼ全てがデジタル化の対象になる。

IoTデバイスを使えば、空間やモノの状況をデジタルデータで把握して、分析が可能になる。街やビルや店舗での人の動き、モノの稼働状況、温度なども測定の対象だ。移動センサー、温度センサー、人感センサー、デジタルカメラによる画像など記録できるデータはいくらでもある。

モノやサービスの売買履歴、サービスの予約履歴もそうだ。ネット通販なら誰がどういったものを買ったのかがデジタル化されデータになる。ＩＤを作ってログインしていれば、購買履歴にとどまらず、閲覧履歴まで記録できる。

人間の健康情報も対象になる。個人情報取得の同意が前提だが、体温や脈拍、血糖値などのバイタルデータもＩｏＴデバイスがあればデジタル化が可能だ。エックス線などの画像もデジタル化できる。

デジタル化したデータはできるだけ１つに統合する。統合すればデータは分析が正確かつ容易になる。ここまできてデータ活用の準備が整う。

以降では、ソフトバンクの法人事業による企業のデータ活用支援、ＤＸ支援の事例を紹介する。具体的には住友生命、ＡＮＡ、ウエルシア薬局の３社だ。

住友生命保険
デジタルで常識破りの新サービス、新商品を投入

住友生命保険（住友生命）が2018年に発売した健康増進型保険〝住友生命「Vitality」〟は、これまでの生命保険の常識を変えた異色の保険サービスだ。病気などのリスクに備える従来の生命保険とは異なり、Vitalityはスマートフォンアプリを通じて常に保険加入者とつながり、ウオーキングなど健康増進につながる行動を促す特典（リワード）を提供することで、加入者がより健康でいられるようサポートする。健康への取り組みでポイントを獲得し、ステータスを高めることで「ホテル宿泊代が最大40％オフ」など魅力的な特典

東京・八重洲の住友生命保険本社
出所：三井不動産

住友生命デジタル共創オフィサーの岸和良エグゼクティブ・フェロー
写真：陶山 勉

が得られる。

南アフリカのサービスを独占契約

Ｖｉｔａｌｉｔｙは南アフリカの金融サービス会社であるディスカバリーが開発した保険サービスで、日本では住友生命がディスカバリーと提携して、独占契約を結んでいる。発売から5年が経過し、２０２３年12月時点で累計販売件数が１６０万を超えるヒット商品になった。

２０２３年の住友生命の調査によれば「Ｖｉｔａｌｉｔｙ加入後に血圧などの数値が下がっており、入院率や死亡率も非加入者に比べると低い」という。

2018年の販売開始当初から、ウエアラブルデバイスなどが獲得できるスマホ特典を提供するリワードパートナーとしてVitalityの国内展開を支援してきたのがソフトバンクだ。「まだサービスとして実績がなく、多くの企業から『加入者が増えたら考えましょう』と断られるなかで、ソフトバンクは初期から『一緒にやりましょう』と参画してくれました。それ以降、深い関係を築いています」と、住友生命のデジタル共創オフィサーでエグゼクティブ・フェローの岸和良は語る。

Vitalityのシステムの中心部分は住友生命が開発する一方、ソフトバンクは課金やID連携などの分野で支援する関係が構築されていった。

デジタル保険のシステムを持っていた

ソフトバンクと住友生命はVitalityでの協業にとどまらず、短期型のデジタル保険サービスの開発分野で、共創といえる形でビジネスの規模を拡大させている。住友生命を担当する法人第一営業本部課長の大野武志は「提案の範囲がどんどん広くなっていますので、ご要望に応えられるようこちらの体制を拡充しています」と語る。

法人第一営業本部の大野武志課長
出所：ソフトバンク

住友生命がソフトバンクと手を取り合って開発した保険サービスの一つに、販売から提供まで全てがデジタルで完結する「デジタル保険」のサービスがある。2020年ころから協業を始め、2022年に第1弾となる商品の販売にこぎ着けた。

日本で生命保険といえば、営業担当者が顧客一人ひとりに売り込むプッシュ型の販売が一般的だ。だが「人を通して保険を売る」手法は限界を迎えつつある。バブル期であれば営業員が営業先のオフィスに立ち入って若手社員に売り込むことができた。セキュリティー意識が高まった現在では、もはやこうした手法は使えない。さらにコロナ禍では人と人が会える機会が激減した。

時代の流れを受け、日本でも人間の営業を介さないデジタル完結型の保険商品が相次ぎ登場したが、ヒットには結びつかなかった。

対面営業であれば、営業は顧客の事情に合った保険を勧めることができ、顧客も保険の価値を理解しやすい。デジタル保険は、パソコンやスマホの画面だけで顧客に保険の価値を理解してもらう必要があり、開発の難度は高かった。そもそも住友生命の基幹システムはデジタル完結型の保険を想定しておらず、自社開発には相当な時間がかかることが予想された。

そんな折、住友生命の岸のもとをソフトバンクの営業が訪問した。デジタル保険の案件について話を聞きに来たのかと思ったら、「我々はデジタル保険の開発システムも持っています」と聞いて驚いた。

デジタル保険のシステム基盤を提供

ソフトバンクは以前から、フィンテックと呼ばれる先進技術を用いた金融DXを新規事業の有望な領域と見ており、日本に先んじてグローバルでデジタル保険が流行し始めたの

熱中症お見舞い金保険の申し込み画面
出所：PayPay保険サービス

を知って、水面下で保険会社向けの開発システムを準備していたのだ。後にソフトバンクの１００％子会社のリードインクスがデジタル保険基盤サービス「Ｇｒａｐｈｅｎｅ（グラフェン）」として事業化することになる。

住友生命は、ソフトバンクのグループ会社であるＰａｙＰａｙ保険サービス、ソフトバンクと組み、新たなデジタル保険商品の開発に乗り出した。ＰａｙＰａｙ保険サービスと企画を進めるなかで、２つの保険が生まれる。まず２０２２年４月、熱中症に特化した業界初の保険商品となる期間限定型の保険サービス「熱中症お見舞い金保険」を発売。続く２０２３年１月には「インフルエンザお見舞い金保険」を売り出した。保険商品のコンセプトづくりと要件定義は

リードインクスの柏岡潤社長兼CEO
出所：ソフトバンク

住友生命とPayPay保険サービスが共同でまとめ、ソフトバンクとリードインクスがGrapheneを使ってアジャイルの手法で開発した。

「今までの常識とは全く違う知識が必要でした。最初の打ち合わせでは意味の分からない言葉がいくつも飛び出して困惑しました」。岸はデジタル保険の開発をこう振り返る。

デジタル保険の企画に当たり、特に重視したのがUI（ユーザーインターフェース）だった。少額・短期の保険サービスの支払いで数百円を決済するのにクレジットカードを登録するのは、顧客にとってハードルが高い。この点は、PayPay上で利用できるミニアプリの「ＰａｙＰａｙほけん」を通じて商品を販売することでクリアした。残高さえあればＰａｙＰａｙからワンタッチで決済できる。

過去に例のない商品だから社内に不安の声もあった。内製ではなく、外部のサービスを使うとなればなおさらだ。「自分で役に立つのなら」とリードインクスの社長兼ＣＥＯである柏岡潤は住友生命の経営陣に自らＧｒａｐｈｅｎｅについて説明し、不安の払しょくに努めた。

苦労のかいあって、発売されたデジタル商品は時流に乗る。猛暑を受けて、２０２２年夏にはテレビ局が相次ぎ熱中症対策の特集を組み、発売したばかりの熱中症お見舞い金保険にも次々に取材が舞い込んだ。テレビでの放映を見たママ友の口コミで熱中症お見舞い金保険の認知度が高まるといったこともあり、実際の契約につながる。サービス開始からわずか３カ月で加入件数５万件を達成した。

デジタル完結型だけに、顧客のニーズもデータを通じてじかに把握できる。猛暑日の予報があった地域では加入件数が顕著に増える傾向があったという。リードインクスの柏岡も「デジタル保険ならではの売れ方が見つかったのは収穫でした。デジタルマーケティングによる販売促進の可能性も高い商品です」と語る。

今後はデジタルの接点を通じて顧客理解をさらに深めるため、ソフトバンクが出資しているトレジャーデータが持つデータ分析基盤であるCDP（カスタマーデータプラットフォーム）の活用も検討している。

ヘルスケアアプリでWaaSを推進

2023年10月には、ソフトバンク子会社のヘルスケアテクノロジーズと資本・業務提携を実施した。ヘルスケアテクノロジーズは2019年設立。2020年からは、24時間365日いつでも医師や看護師に相談できる健康医療相談やオンライン診療が可能なヘルスケアアプリ「HELPO（ヘルポ）」を提供する。両社はHELPOと、Vitalityを含む住友生命の健康関連サービス群（WaaS：Well-being as a Service）を組み合わせた新たな顧客価値の創出を目指すほか、組み込み型保険の開発などで協業を検討する。「今後もソフトバンクと組むことで、WaaSに必要なピースを埋めていければと思います」と岸は語る。

住友生命にとって、ソフトバンクと組むことの利点はどこにあるのか。「とにかく提案が早いんです。『このシステムを使いませんか？』と形は粗いけれど動くものを持ってきてくれます。あのスピード感は見習いたいですね」と岸は語る。「DXを推進するうえで『他社の動向を見てから……』ではダメです。先んじないと意味がありません。だからこそスピードが重要になります」と続ける。

保険業界は規制産業であり、保険商品の開発に当たっては制約も多いが、ソフトバンクの社員は「無邪気に『こんな世界観をつくりたい』と言って提案を持ってきてくれます」と岸は笑う。こうしたマインドは、保守的になりがちな保険会社の社員にとって、変革に向かうための刺激になるという。

岸は「DX（トランスフォーメーション）は、個人の『こんな世の中にしたい』といった思いや理念があってこそ推進できるものです」と話す。

最終的に企業同士のメリットが発揮できず、かけ声倒れになるリスクがある共創型の新規事業を、住友生命とソフトバンクはDXの実現とともに、複数の大輪の花に育てつつある。

全日本空輸

ＡＮＡブランドの全客室乗務員がｉＰａｄで「働き方改革」

日々のフライトにもワークスタイル変革の成果が生きる
出所：全日本空輸

世界の航空会社の中で、初めてｉＰａｄを大量導入したことが話題になったのが全日本空輸（ＡＮＡ）である。２０１１〜２０１２年にかけて、ＡＮＡブランドの全ての客室乗務員（ＣＡ）約６０００人に１台ずつｉＰａｄを配布した。このころ低価格を売りにするＬＣＣ（格安航空会社）の台頭も著しく、多くの航空会社が競争力を高めるための、サービス品質や生産性の向上を求められていた。

ｉＰａｄ導入は話題づくりが目的ではなく、当時はまだ言葉がなかったが、これらの課題に応えるＤＸそのものだ。導入のきっかけは「働き方改革」だった。オフィスで働くデスクワーカーと異なり、

ＣＡやパイロット、整備士といったフロントライン部門のＩＴ化は簡単ではない。携帯性が高いｉＰａｄでこれらの業務をこなせる意味は大きい。

現在では、ＣＡのほか、操縦士、整備士、空港地上係員まで含めて、ＡＮＡグループでは１万台を超える規模でｉＰａｄを業務に活用する。導入から10年以上たった現在も、ｉＰａｄの活用範囲は拡大の一途だ。システム設計と業務効率化をソフトバンクが二人三脚で支援してきた。

ＡＮＡのデジタル変革室イノベーション推進部業務イノベーションチームのマネージャーを務める渡部由紀子は自分の業務とソフトバンクのかかわりをこう説明する。

「ＡＮＡグループでは、デスクワーカーとフロントラインワーカーの双方を対象としたＤＸ視点の働き方改革を推進してきました。フロントラインワーカーを対象とした働き方改革によって、ＣＡやパイロット向けにｉＰａｄを配布した業務改革が進むなか、デスクワーカーは、Google Workspaceの活用を進めていました。より生産性を高めるため、全員のスケジュール管理に使うカレンダー登録のルール作りと、利用実態に基づいた業務の可視化に協力していただいたのが、私個人がお付き合いするきっかけでした。ＣＡへのｉＰａｄの導入はフロントラインワーカーの働き方改革をけん引したもので、現在もユーザー部門（客室部門）とコミュニケーションを取りながら、お客様へのサービス品質向上と

ANA デジタル変革室イノベーション推進部業務イノベーションチームマネージャーである渡部由紀子氏（右）と、同チームの笠川茜氏（左）
写真：陶山 勉

生産性向上を目指していますが、ソフトバンクさんには最初から取り組んでいただいています」

「スマートカタログ」でマニュアルを電子化

当初、働き方改革で威力を発揮したのが、ソフトバンクが開発した「スマートカタログ」だ。CAが業務で活用するマニュアルは多岐にわたる。安全を確保するための情報を中心に取りまとめたCAマニュアルのほか、サービスガイド、アナウンスマニュアル、英語会話集など数多くが用意されている。ページ数も多い。例え

膨大な紙マニュアルをiPadに集約
出所：ソフトバンク

ばCAマニュアルは700ページを超す。

CAは乗務する航空機の機体別に、装備品、消火器・酸素吸入器の設置場所、目的地ごとの食事メニュー、ドリンクメニューなどを事前に確認する必要がある。海外の空港に着陸する前のアナウンスの内容の違いも把握しておかなければならない。

従来、こうしたマニュアルは紙で、1人がおおむね3冊ほど（合計2キログラム以上）を携行しなければならなかった。これらのマニュアルを、スマートカタログを活用してクラウド上に電子化し、iPadで全て閲覧できるようにしたのである。CAが携帯しているiPad miniは重さが数百グラム。持ち運びの負担も軽減された。CAは電子化された最新マニュアルをいつでもどこでも参照可能になり、より「安全・安心」なフライトを実現できるようになった。

年間数百ページに及ぶマニュアルの配布・差し替え

作業も効率化できた。マニュアルは常に更新されているが、オンラインから最新の情報を得ることができる。差し替えのミス、回収した古いマニュアルの紛失などのリスクもなくなった。ペーパーレス化により印刷費用だけでなく、差し替えにかかる時間と手間を大幅に削減できた。ソフトバンクにとっても、ANAグループと共同でiPadを使った業務効率化を進めた経験は多くの知見につながった。

業務習熟と養成期間を大幅短縮

iPadの導入は、CAの業務習熟と養成にも貢献している。音声や動画を活用した乗務マニュアルや業務ノウハウを共有できる教育教材を作成し、iPadから閲覧できるようにした。いつでもどこからでもアクセスできるので、業務習熟までの時間を短縮でき、早期の養成が可能になった。

特に動画の効果は大きい。「カラダを動かす必要がある訓練は従来通りの集合型ですが、今では動画によるオンライン研修の併用で、空き時間を使ってCAが学習できるようになっています。カクテルを作る際にどれくらいの量を入れたらいいかなど、紙では伝わりにくかったことも動画ならすぐに分かります」と渡部は説明する。

コロナ禍で減便を余儀なくされた2021～2022年に、CAが実際に搭乗する機会が減ったなかでも、在宅勤務の際の研修ツールとして効果を発揮した。豊富なeラーニング教材を用意しスキルアップの機会を提供できたからだ。

コミュニケーションが円滑になり「地空連携」も

現在ではiPadから、CAが乗務する便の情報、搭乗人数やパイロットの名前、CAの一覧情報などが確認できるアプリも利用できる。機内でどの座席にどの乗客が搭乗しているかを確認できる「シートマップアプリ」もある。

CAが携行しているiPadはモバイルデータ回線に対応しており、通信環境さえあれば、いつでもコミュニケーションが取れる。ANAグループはGoogle Workspaceを導入しているので、スケジュールの共有に加え、メールもやり取りできる。

「地空連携」も容易になった。以前から機内で急病人が出たり、飲料で衣服が汚れたりしたといった事態が発生した際に、到着地の空港地上係員に専用の通信手段を用いて事前に連絡しスタンバイしてもらっていたが、iPadのアプリを用いることで、より詳細な情報をタイムリーに引き継げるようになった。地空連携は、ANAが注力している顧客の体験価値向上と働き方改革をさらに進める。

法人第一営業本部の森田暁雄統括部長
出所：ソフトバンク

渡部は、地空連携を新たなステージとしてとらえている。「地空連携は部門間連携として重要だと思っています。地上の係員と上空のCAが同じアプリを使って情報をやり取りできます。共通のソフトウエアを使って運航にかかわるオペレーション全体のコミュニケーションを進化させており、デジタルの力を使ってより良いお客様へのサービスと社員の働き方を追求しています」と話す。

ソフトバンクは、一連のコミュニケーションが途切れないようにするための通信環境の整備にも取り組んだ。ソフトバンクのANA担当営業で法人第一営業本部統括部長の森田暁雄は、

「乗り越えた課題の一つは電波が途切れないようにすることでした。国内全ての駐機場で4Gの電波を測定させてもらってつながらないことがないように通信環境を整えたほか、空港内のANAの事務所でもWi-Fiを使えるように無線LAN環境を整備しました。今でも電波対策チームが常に監視し改善しています」と語る。

これまで述べてきたアプリの多くは、ソフトバンクが提案したアプリ開発環境であるVolt MX Development Platformを使って開発されたものだ。このプラットフォームを使えば、iPadをはじめPCやスマホなどの異なるデバイス、iOSやAndroidなどの異なるOSで使えるアプリを一度に開発できるので、従来のスクラッチ開発と比べて短期間で利用が可能になる。

音声コミュニケーションツールを全社展開へ

現在、ANAはiPhoneやiPadを使った空港地上係員の音声コミュニケーションの環境整備を進めている。具体的には、インターネットを使った音声によるグループトークコミュニケーションを実現するBONX WORKとBluetooth専用イヤホンのBONX Gripの導入だ。従来、音声によるグループトークコミュニケーションには業務用のトランシーバーを使っていたが、やり取りは全員に聞こえるだけでなく、騒音の多い空港では聞こえづらいこともあった。iPhoneやiPadに加えてトランシーバーも携行しなければならない。

BONXに切り替えることにより、課題が一挙に解決する。BONXは音声をやり取りする範囲を指定することが可能なうえ、音声の自動録音と文字起こし機能がある。聞き逃した情報も後から再生したり、文字情報として拾ったりすることができる。2021年から空港地上係員への導入を開始し、主要空港の地上係員に利用を拡大する方向で導入を推進している。

BONX WORKは、スタートアップ企業であるBONXが提供するサービスだが、ソフトバンクが運用支援という形で入っている。ユーザー企業の負担になりがちな運用の負荷を自らが請け負う同社得意の手法だ。渡部は「ANAグループからの窓口として情報を取りまとめてもらっているだけでなく、定期的な会議を設定し、ANAが考えていることを伝えやすい環境を用意してくれています。障害が起きた際の原因究明も一緒に考えて深掘りできます」と語る。

カスタマーサクセス本部の下英里子氏
写真：ソフトバンク

顧客に寄り添う姿勢を評価

2017年にCAとして入社し、コロナ禍の社内公募制度を利用して2022年4月に客室部門からデジタル変革室イノベーション推進部業務イノベーションチームに異動してきた笠川茜は、ソフトバンクの業務知識に信頼を置く。「当社とソフトバンクさんのお付き合いが長いこともあり、担当の方がCAの仕事をよく理解されているという印象を持ちました」と打ち明ける。

例えば「安全業務や機内サービスは一般的に知られていない特有のオペレーションが多く全体像を把握するの

に苦労しますが、ソフトバンクのみなさんは業務の実態を理解したうえで、私たちが何を望んでいるかを考えてくれます」と笠川は言う。

こういった感想の背後にある営業部門以外の組織の存在も見逃せない。典型が顧客の満足度向上を目指し、ソフトバンクの提供するサービスの提供継続につなげることを目的に活動するカスタマーサクセス本部だ。

2016年から5年にわたってANA担当の営業だった経験を持ち、現在はカスタマーサクセス本部で同社を担当する部隊の一員である下英里子は「営業として培ってきた密なコミュニケーションやクイックレスポンスはもちろん、通常であれば対応が厳しい内容、要望に関しても、本当にできないのか、個別に調整できる部分がないのか、全ては無理でもどこまでなら要望に応えられるのかを常に意識しています」と話す。

ANAのiPad導入はソフトバンクの法人事業にとっても忘れることができない事例だという。まず自分たちが使いこなしてから、自信を持って顧客に提案できるソリューションを生み出す同社独自のスタイルきっかけとなったのが、自社へのiPad導入であり、最初の大きな成果とも言えるのが今に続くANAの働き方改革だからだ。

ウエルシア薬局

独自会員制度でデジタルマーケティング推進

東京・お茶の水のウエルシア薬局本社
出所：ウエルシア薬局

業界最大手で、全国に約2200店舗のドラッグストアを展開するウエルシア薬局は、One to Oneマーケティングの実現のため、ソフトバンクの支援を受けながら必要な基盤の整備やデジタルマーケティング施策の検証を進めてきた。従来型のマスマーケティングの限界を超え、一人ひとりの顧客にあった商品を適切なタイミングで訴求することで、販売効率の向上と売り上げ拡大の二兎《にと》を追う。

同社常務取締役情報システム本部長の安倍崇は「ドラッグストアに限らず、これからの小売業の成長には効果的なデジタルマーケ

ウエルシア薬局の安倍崇常務取締役情報システム本部長
写真：陶山 勉

ティングが不可欠で、最も重要なのはデータ量です」と話す。基盤となる会員のデータをさらに充実させるため、2021年7月に独自の会員制度である「ウエルシアメンバー」を立ち上げ、会員に対して「ウエルシアID」の発行を開始した。

同時に、ウエルシアIDにひも付く顧客属性や購買などのデータを蓄積・分析するためのCDPとして、トレジャーデータの「Treasure Data CDP」を導入。併せて、クーポン配信の自動化など、マーケティング施策を効率的に実行するための機能を備える米セールスフォースの「Salesforce Marketing Cloud」も導入した。

ウエルシアIDの発行数は700万だ。IDの発行当初は、以前からあった「Tポイント」を活用した会員組織に、店頭でウエルシアメンバー加入への許諾を求めていた。その後、ウエルシアメンバーを増やすため、2023年1月からイオングループのポイントサービスであるWAON POINTへの対応も開始し、現在はウエルシアメンバーであれば、購入時にTポイントとWAON POINTの両方をためられるようになっている。

安倍は「期間を考えれば700万人は評価できる数字ですが、施策展開のうえでは十分ではありません。早い段階で1000万人以上の会員を獲得したいのです」と意気込む。

商品本部とIT企画部が密に連携

ウエルシア薬局は従来、会員制度としてTポイントだけを活用していた。月間のユニークユーザー数が1000万人、年間では2300万~2400万人と、Tポイント利用企業の中でも最大規模の会員数を誇る。しかし、自社にデータを残すことができなかったため、商品本部販促企画部長の清田明信は「One to Oneマーケティングの展開を進めるうえで、Tポイントだけの会員組織では難しい」との考えから、独自の会員制度の立ち上げを提案した。

ウエルシア薬局商品本部の清田明信販促企画部長
写真：陶山 勉

この提案をきっかけに、新たなプロジェクトがスタートした。宣伝やマーケティングを担う販促企画部には、チラシやPOP、期間特売を担当する販売促進グループ、ポイント施策やアプリを担当するマーケティンググループ、SNSや宣伝広告を担当するメディアグループがある。デジタルマーケティングには3部門全てが関係するため、商品本部全体で連携し、システム面を情報システム本部のIT企画部が支援する形を採った。

2023年5月までIT企画部に在籍していた情報システム本部システム運用部部長の六倉幸司は「1〜2週間に1回のペースで販促企画部と定例の

ウエルシア薬局情報システム本部の六倉幸司システム運用部部長
写真：陶山 勉

打ち合わせを重ね、綿密に計画を練りました」と振り返る。データ分析システムは社内にあったが「定型的な切り口でデータを見るもので、仮説を立てて自由に分析することが必要なOne to Oneマーケティングには向きませんでした」（六倉）。そこで、データ分析のためのシステム基盤を新規に構築することを決めた。

ソフトバンクの資産とシステム構築力を評価

システムの構築に当たっては複数のベンダーから提案を募った。ソフトバンクを選んだ理由について六倉は

「ＬＩＮＥヤフーといったソフトバンクのグループ会社の資産を使ったマーケティングが可能なことが魅力で、システム構築力がある点も評価しました」と話す。

誤解を恐れずに言えば、ウエルシア薬局はソフトバンクファンでもある。以前から安倍は「固定電話やスマートフォンなどの回線、メール環境、システムの導入支援などを受けたことがあり、単なる携帯電話会社ではなく優れたシステムインテグレーターというイメージを持っていました」と評価している。

六倉も同様だ。「経営会議で使う会議室の電波が悪かったことがあり、改善の要望を出したことがありました。その際、ほかのベンダーはまずは見積もりを、という具合だったのですが、ソフトバンクだけはすぐに問題点を確認し、現状の予算内で対応できるかやってみますと言ってくれたのです。営業担当者の動きが早くて助かりました」と言う。

システム構築には苦労も多かった。特に大変だったのは、以前から利用していたＴポイントや、２０２３年１月から連携を始めたＷＡＯＮ ＰＯＩＮＴなど、自社以外の多くのサービスやシステムに連携させたことだ。六倉は「今は10社以上のシステムがつながる複雑な構成になっています」と語る。ソフトバンクの担当範囲外の部分も多く「様々な企業やベンダーとの協議が必要でした」と振り返る。

一方でＣＤＰの構築自体はスムーズに進んだ。どういったデータを格納するか、あるいは既存のデータソースからのデータ抽出などについてはインキュデータの支援を受けた。インキュデータはソフトバンクと博報堂、トレジャーデータの3社が合弁で設立したデータ活用に関する戦略的企業だ。CDPの構築から運用までの専門家集団でもある。インキュデータは、基盤の構築やシステム活用の支援に加え「どういったマーケティング施策が有効かといったことについても、伴走しながらサポートしてくれています」と六倉は打ち明ける。

ウエルシアメンバー拡大に注力

One to Oneマーケティングのためのデジタル基盤は完成し、これを活用した新たなマーケティング施策の検証を進めている状況だ。清田は「いろいろな検証をしているが簡単には成果が出ません。まだ道半ばです」と苦労をにじませる。

例えば、現在700万人のウエルシアメンバーを分析してセグメント分けする際、「はっきりとした効果が出せるくらいセグメントを細かく分けていくと、セグメントによっては数百人規模になってしまうことがあります。これでは、たとえ効果的な施策を打てたとしてもリターンが期待できません」。清田はこう明かす。

課題はいくつもあるが、全てに共通する根本的な原因は会員数の少なさだという。清田は「年間2300万から2400万人いるTポイント利用者の約8割に当たる2000万人にウエルシアメンバーになってもらえれば、もっと効果的なデータ活用ができます。なんとかして、そこまでウエルシアメンバーを増やせればと思います」と語る。

このための取り組みが、利用者や利用先が多いWAON POINTとの連携や、Tポイントと WAON POINTの両方へのポイント還元だ。ウエルシア独自のポイントサービスを作らなかったのも、WAON POINTと組み合わせた方が、会員拡大につながるとの考えからだ。

2023年11月にはウエルシアグループアプリに新機能を追加し、ウエルシアメンバーであればアプリ上でWAON POINTとTポイントのカード画面を同時に表示できるようにした。以前から、2タップでそれぞれのカード画面を表示できるようにするなどの工夫を重ねてきたが、顧客が両方のカード画面を提示してくれる割合が高まらなかったという。清田は「ポイント還元の魅力によってウエルシアメンバーになりたいと思ってもらうだけでなく、マーケティング施策の効果を出すためにはアプリ自体を頻繁に活用してもらえるよう利便性を高める必要があります。これからも機能強化を続けます」と話す。

安倍も「当社店舗の客層で最も多いのは40代から50代の女性で、デジタル技術に不慣れな方も多く、現金での支払いも5割以上ある状況です。デジタルを活用してもらうには時間がかかるでしょうが、地道に取り組んでいきます」と語る。

将来のマスマーケティング比率の低下を目指す

ウエルシア薬局がデジタルマーケティングに注力する目的は、販促の効率化だ。清田は「現在、折り込みチラシは1回につき1400万枚ほど作っていますが、大変な手間とコストがかかっています」と明かす。現状でも効果を上げている一方で、「チラシを見た人が欲しいと感じる商品は3、4個しかないでしょう。その商品をデジタルマーケティングによって適切な時期にリコメンドできるようになれば、大きく販促コストを下げられるはずです」(清田)。One to Oneマーケティングが機能するようになれば、折り込みチラシのような従来型のマーケティングの比率を下げられるというわけだ。

こうした未来を目指し、ソフトバンクの支援も受けながら、様々な検証に取り組んでいる。具体的には、ウエルシアIDとYahoo! JAPAN IDを連携させ「Yahoo! JAPANで男性化粧品を検索した人に対し、当該商品の割引クーポンをアプリ上で発行する」といった検証を進める。

1500万人超の友だちを誇るLINE公式アカウントをOne to Oneマーケティングに活用することも考えている。現在は運用代行をソフトバンクに依頼しており、将来的にはCDPのデータを活用した配信も検討しているという。もともとLINEとヤフーが別会社のころから両社のサービスをマーケティングに活用していたが、ソフトバンクがグループ企業まで統合した窓口として提案している成果が出始めている。

外資系の小売りやIT企業での勤務経験を持ち、ウエルシア薬局への提案にもかかわる、デジタルマーケティング本部の部長である池田純一は「データの蓄積から分析までワンストップで支援して、勝ち筋を見つけるお手伝いをしています」と語る。


安倍は「ソフトバンクの新しいものへの感度は本当に高いと感じています。One to Oneマーケティングを実現するうえでも伴走支援は欠かせません。これからもいろいろと相談していきたいと思います」と話す。

安倍や六倉が話す「伴走」はウエルシア薬局とソフトバンクの関係を示すキーワードでもある。取材中も「一緒に」という言葉が何度も聞かれた。ウエルシア薬局が取り組むデジタルマーケティングは終わりのない改善の連続だ。これからも両社の伴走は続く。

4領域に注力しつつDXを支援
出所：ソフトバンク

注力領域はデジタルコミュニケーションなど四つ

以上で3社の象徴的な事例を紹介した。データ活用による具体的な課題解決の領域でソフトバンクが注力する領域は四つある。デジタルコミュニケーション、デジタルオートメーション、デジタルマーケティング、そしてセキュリティーだ。いずれもソフトバンクがクラウド、ソリューションへと事業を広げるなかで見えてきた得意分野だ。

デジタルコミュニケーションはキャリアとして自家薬籠中のものとする領域。電話での問い合わせを一元化する受電集約から、スマホの導入、ビデオ会議、リモートアクセス、チャットサービスなど扱うツールも豊富だ。

コロナ禍では、デジタルコミュニケーションの力を目の当たりにさせられた。対面でのやり取りが困難になった三井住友海上は非対面による保険の説明、さらには契約までオンラインで完結させる仕組みを実現した。ソフトバンクが導入を支援し、半年で実運用をスタートさせている。契約完結の仕組みにはプログラミングの手間の少ないローコード開発ツールを採用した。

ANAが、iPadによってマニュアルをはじめとした文書のデジタル化を進め、パイロット、整備士を含めた「フロントライン」と呼ばれる航空機の運航に直接かかわる数千人の現場スタッフの働き方を劇的に変えたのはすでに記した通りだ。

デジタルオートメーションはRPA、AI、ロボットや自動運転を含む広義のIoTなどによって業務を自動化するソリューションだ。通信機能を備えたセンサーやカメラが活躍する。

RPAの導入支援の例としてはJR九州がある。同社はソフトバンクの支援を受け、RPAを導入した。累計で7万時間以上の労働時間を自動化した。多くの観光客を運ぶD&S列車（観光列車）で提供する乗客向けの弁当の個数把握と乗客の名簿作成、乗車人員報告書の作成など鉄道業務にかかわる領域でもRPAを用いる。

ＪＲ九州でＲＰＡの開発に携わるスタッフが「コロナ禍で業績が大きく悪化した時には、ＲＰＡで現場を楽にすることで、これまでがんばってきた人たちがずっと働いていける環境を確保できるという気持ちで作り続けていました」と語るのが印象的だ。

ＡＩについては言うまでもないだろう。ＡＩによる画像認識や生成ＡＩの登場で自動化の範囲は確実に広がった。

高級チョコレートブランドのゴディバジャパンは、全国にある３００以上の店舗でＡＩを利用した需要予測サービスの「サキミル」を活用する方針だ。サキミルは日本気象協会とソフトバンクが共同開発したもので、気象データに加え、ソフトバンクがグループで保有する人流統計データ、つまりどれくらいの数の人間がいつどこにいるのかを示すデータを独自のＡＩで分析し、店舗ごとの来店客数を予測する。業務に必要なスタッフの人数の把握から適切な人員配置が可能となり、現場のオペレーションの効率化が進む。

各店舗のスタッフが発注量を決める際にも需要予測を参考にする。従来は発注の精度を高めるために多くの作業工数が必要だったが、サキミルの活用によって業務時間を短縮する。先行導入した店舗で蓄積したノウハウを生かし、全店舗への展開を進める。

デジタルマーケティングは、業務の効率化にとどまらず企業の売り上げを明確に伸ばすものとして力を入れる領域だ。ソフトバンクの強みを生かした好例であるウエルシア薬局については前述した。今井は「デジタルデータを使って、お客様の経営と一緒になって売り上げや利益を上げることができる領域」であるとして将来への期待を隠さない。

これら三つの領域とセキュリティーの位置付けは異なる。

ＩＴの進化によって信じられないほど多くのデータがデジタル化することになった。対象も業務システムから工場などの制御系、ＩｏＴなどに広がる。流出した際のリスクは計り知れないが、デジタル化を止めるのは変革の放棄と同じだ。課題の解決もおぼつかなくなる。セキュリティーはこのリスクを下げる。

セキュリティーが担保されているからこそ、デジタルコミュニケーションもデジタルオートメーションもデジタルマーケティングも進めることができる。

組み合わせ型で伴走、あるべき姿を示す

実際にソリューションを提案する場合は、デジタルコミュニケーションならデジタルコミュニケーション単体の導入で終わることは少ない。前記の四つ、さらに必要ならネットワークのインフラ、クラウドから始めて広げてきたソリューションを組み合わせる。社内、協力会社、子会社を含めたエンジニアがインフラの構築、セキュリティー、アプリケーショ

ン開発、デバイスへの実装までサポートする。

ゴールは企業の課題を解決し、生産性と収益力を向上させることにある。ソフトバンクが営業のコンサルタント化を進めているのは、これを実現させるためだ。成果は出ている。20年近く同社で法人事業にかかわってきた法人マーケティング本部長の上野邦彦によれば営業が顧客に示す提案書も変わってきた。

「現状のデジタル化はもちろんですが、データを活用したこういったビジネスが可能ですといった、あるべき姿を踏まえた提案が増えてきました。企業にとっては先が見える、やらなければならないことが見えるのです。我々の提案が未来につながる投資だと理解してもらえるようになりました」（上野）

企業の課題はなくなることがない。ＩＴを導入すれば終わりではなく、伴走型、共創型での提案が求められる。新たなビジネスの獲得にもつながる。

住友生命との関係は好例だろう。SoftBank World 2023での今井の基調講演にゲストとして登場した同社社長の高田幸徳は「Ｖｉｔａｌｉｔｙを展開するに当たり、新たな価値創造に最適なパートナーを探し求めていた時に出合ったのがソフトバンクです。提供開始当初から、共同で取り組みを進めてきました」と明かした。

第2章 仕組みが支える強い営業

法人事業成長の原動力は何か。社内外問わず必ずと言っていいほど返ってくる言葉がある。

「営業」だ。

現役のソフトバンク社員も「ほかの会社では製造部門や企画部門が力を持っていることも多いですが、うちの会社は営業が一番です。お客様と最前線で向き合っているのは営業ですから」と口をそろえる。

複数のソフトバンクOBも「法人事業が成長している理由は明確。一にも二にも営業だ」という。ソフトバンクと競合するある企業の営業担当者は「段違いの営業力」との一言を返した。

単体で約2万弱の社員のうち、法人事業にかかわるのは総勢5800人ほどで、そのうち3300人が商談にかかわる技術SEと営業、さらに新規事業創出の部隊になる。だが人数の多さが理由で営業が強いと言われるわけではない。

「営業が強いのは大幅な値引きで他社を退けるから」でもないという。個別案件の重要度に応じて値引きすることもあるのだろうが、目先の受注のための安値提案はソフトバンク社内ではむしろ嫌悪される。

「単独の案件での赤字提案はないわけではないが、必ず関連する直近の後続案件でのリカバリーが前提になっている」（営業担当者）。安値に思えても購買力を生かして仕入れ値を抑え、利益を確保しているケースも多い。

「担当者までパワーが違う」

法人事業の関係者が自ら営業の強さの源泉だと考えるのは、足しげく通い続けながら仮説を立てて、提案を繰り返して最終的に顧客からの信頼と受注を勝ち取る、個々の営業担当者の人間力とでもいうものだ。

法人第一営業本部の本部長として現場の営業と日々接する執行役員の長野雅史は「シナリオの構成力、度胸など要素はいくつもありますが、他社とは営業担当者一人ひとりのパワーが違うのではないかと思います。負荷がかかる面はあるかもしれませんが、ある企業を担当するようになれば、自然と業界知識まで身に付けて、お客様の課題に合った提案を自分で考えるようになります。だから若手が主役の大型受注が珍しくありません」と話す。

実際、いくつか取材の過程で印象的な若手のエピソードを聞いた。

ある若手の営業担当者は、大手メーカーの現場効率化の提案をまとめるため、全国の工場を訪問した。作業服に着替えていくつもの拠点を訪ねるうち、現場との関係を深めて課題を探し出し、IoTの商談につなげた。商談をまとめただけでなく、単なるソリューションプロバイダーの立場を超えた、このメーカーの公式DX推進パートナーとして認められることがほぼ決まった。

「うちの広報にならないかね」

ある大手SPA（製造小売業）のトップからこう声をかけられた若手の営業担当者もいるという。この若手社員は、担当することになったSPA企業のことを知るため、同社製品を自ら購入して利用することを心がけた。提案に役立てたのは当然だが、品質が良かったこともあり自宅にはどんどん製品が増えていく。

この企業は1年に1度、ベンダーを集めた表彰式を開く。ソフトバンクも招かれることになり、若手担当者も出席することになった。同社のトップに声をかけられた時に飛び出した同社製品への知識と愛着の深さに対する感想が「うちの広報にならないかね」の一言だった。

転職の誘いまであるかどうかは別として、熱心な若手を評価する顧客は少なくない。調達の社内規則があるため複数社の提案を募るケースでも、現場の担当者から「本当はソフトバンクに任せたい」と声をかけられる営業もいる。

こういった熱意は属人的な資質に頼って実現しているわけではない。組織的に育てる仕組みがあるのが法人事業の強みだという。

営業は全員がコンサルタントに

何年にもわたってソフトバンクは、課題解決力、DX提案力、ソリューション提案力の高い営業の人材育成を組織的に進めてきた。求めるのはコンサルタントとしての能力だ。「お客様の課題を解決するには、コンサルタントの能力がないとできませんから。全員がコンサルタントにならないとダメです」と今井は意気込む。

どうやって営業のコンサルタントとしての能力を高めるのか。コンサルティング力の話はコンサルタント、それも優秀なコンサルタントに聞くのが一番早いというのがソフトバンク流の答えだった。2018年、大手コンサルティング会社に依頼して、営業担当者向けのコンサルタント養成講座を立ち上げた。営業本部から数人を選抜し、実際のプロジェクトを対象にコンサルタントならどう顧客に提案するかを半年間かけて学ばせている。

顧客訪問の前に、依頼を受け本職のコンサルタントとコンサルティングがどうあるべきかを議論。ソフトバンクの営業担当者は、顧客が属する業界の潮流などを含めた新たな視点からの提案がどうあるべきかをたたき込まれた。

講座は2023年の段階ですでに5期目を数え、累計の受講者は150人を超す。4期目からはこの講座を終えてコンサルタントとしての提案法を身に付けた営業担当者が実体験を踏まえながら社内で講義するほか、全社員が受けることが可能なeラーニングによる講座も開始している。

現状を把握しソリューション力を高める

研修だけでよしとするわけではない。力を入れているのがアカウントプランのブラッシュアップ。盛り込むべき内容、収集すべき情報を整理して伝えスキルアップにつなげ、若手の担当者でも顧客に最適な提案ができるようにする。

一朝一夕にアカウントプランが作成できるようになるわけではない。オンラインとリアルの社内講座を組み合わせ、内容をまとめる。まとめた内容はアカウントプラン発表会を開いて発表する。重要な顧客企業に関しては幹部から若手までの複数でグループを作り、内容を練り上げることもあるという。

「お客様の課題などを調査・分析し、上司を含めて全員でアカウントプランを練り、お客様に提案してフィードバックを受け、内容をブラッシュアップするといったサイクルを回すのが一般的なやり方ですが、プレゼン能力だけでなく、調査スキルや調整力など営業力の向上に役立っています」というのは実際の営業の声だ。

ソリューション型セールスに関する教育コンテンツも整えている。合計で数時間という動画に加え、数百ページのオリジナルの手引きも作成した。

数多くの商材をどこまで理解しているかを把握する商材アセスメントも実施する。コミュニケーション、デジタルオートメーション、デジタルマーケティング、セキュリティーの4領域に関して、全体で100の質問に答える。受けて終わりではなく、個々人に加え、部署ごとの結果をスコアにまとめ、改善点を可視化する。その後は各人の状況に応じた研修コンテンツの学習などを通じて理解度を向上させる。

デジタルエンジニアリング本部で営業支援

コンサルティング型の営業を推進するための支援組織も強化している。2023年4月には、100人規模のデジタルエンジニアリング本部を新設した。

同本部は、小売・流通、製造、金融、保険、建設、不動産、運輸、物流、医療などの業界に特化し、業界ごとの課題発掘と解決のための有効なソリューションを考える専門部隊だ。組織名には入っていないものの、業務はコンサルタントそのものといっていい。この部隊が、全体のシナリオを含めた提案書の作成支援や商談への同行によって営業を支援する。

課題は感じているものの、明確な原因や解決方法が見つからず悩んでいる企業は多い。こういった企業に対する商談、特に初期段階でデジタルエンジニアリング本部の知見が効果を発揮する。

特定の企業を担当せず、現場の営業部隊を支援する組織であるため、業界横断的な知識が集まる。同じ業界の企業に共通する課題や有効なソリューションをつかみやすくなる。次は横展開だ。現実に営業部隊とデジタルエンジニアリング本部が連携して受注した案件は着実に増えているという。

営業とチームを組むエンジニアの質も高める。単独の製品、サービスを売るだけではソリューション化は進まない。ネットワーク以外、クラウドなどのITインフラ、あるいはアプリケーション開発、さらにはデータサイエンティスト、UI（ユーザーインターフェース）やUX（ユーザーエクスペリエンス）のデザイナーといった多様な技術者の幅と質の確保を急ぐ。プロジェクトは大規模化している。パートナーと協業することも増えるなかで、プロジェクトマネジメント能力を備える人材も増やすという。一気通貫でのソリューション提供力も高まる。資格取得も推し進める。セキュリティー系のCISSPやプロジェクトマネジメント関連のPMPといった国際的に認められた資格でも、多数の合格者が在籍する。

「自慢大会」で秘密主義を脱し情報共有

ソリューション提案力を高めるため、法人事業の部隊では積極的に情報共有を進める。象徴ともいえるのが2カ月に1度以上のペースで開催される「横串会議」だ。内部では「自慢大会」と呼ぶこともある。

発案者は今井だ。「だいたい営業というのは、（商談で成功するためのポイントを）人には教えないようなところがあるのですが、全部やめてみんなで共有しようということです」と言う。

自慢大会とはいうものの、単にどんなサービスがどう使われるようになったかの話では終わらない。目的はノウハウの共有だ。

顧客の状況がどうなっており、いかにして関係を深め、受注につなげたか、20分程度をかけ顧客との関係から受注まで詳細に伝える。取引実績から、相手企業との関係の進展具合、情報システム部門と現場との力関係などを説明したうえで、どう営業として攻略していったかが明らかにされる。

コロナ禍を経てオンライン開催に変わったが毎回、300人以上が参加する。会議では、部長や課長といった管理職ではなく、担当の若手社員が自ら担当した大型案件について説明する。登場するのはビジネスパーソンなら誰でも知っているような大企業が大半だ。

自分たちで使うか、事例で横展開するか

1度の会議で取り上げるのは2、3社に絞り、じっくりとどういった案件なのかを説明

させる。積極的に若手に発言の機会を与える。

大勢が見ているからということなのか、年長者が多いせいか、画面越しに映った若手社員は発言し始めたころこそ少し緊張気味だが、やがて熱を込めて自分の成果をアピールし始める。

発表を聞いた本部長クラスの営業幹部は自ら発言の機会を求め「勝ち筋が見えた。ぜひ横展開してください」と話す。毎回参加しているという今井も「大きな成果。これからも活躍してください」と総括する。

「横展開」は横串会議で何度も強調される言葉だ。自分たちが使ったソリューションは、ほかにはない強い言葉で提案できる。だから新しいソリューションがあれば使う。これについては「はじめに」やANAの事例でも触れた。

自分たちが導入した企業の事例も似た位置付けだ。使うのは顧客だが、課題を知り導入にかかわった経験は、強い説得力を持つ言葉を生み出す。

「何か新しい商材を扱う時は、まず事例をつくることを重視しています。どうソフトバンクがかかわったのかというノウハウを含めて共有を徹底する。こうすると、同じ業界の他の企業にも同様の提案がしやすくなります」と上野は説明する。

そうだ海外、行こう。

専務執行役員法人副統括で、長年にわたる営業本部長としての経験を持つ藤長国浩は、法人事業の戦略を統括する立場にあった2022年の10月に全社朝礼で成長に向けた営業改革をテーマに講演した。その内容の一部をプレゼン資料からうかがうことができる。資料を見ると、過去に藤長が中心に手がけた改革の最初の施策として商材の拡充が打ち出されており、ひときわ目立つのが、「そうだ海外、行こう。」と書かれた1枚だ。

そこにはマイクロソフトやグーグル、IBM、アドビ、Zoomといった有名な米国の大手外資系IT企業だけでなく、オクタ、データロボット、サイバーリーズン、ゼットスケーラーといった企業が並ぶ。日本での知名度はまだ高くないが、米国ではそれぞれID管理・認証、企業のAI導入、エンドポイントあるいはゼロトラストといったサイバーセキュリティーなどの領域で急成長する注目の存在だ。

いくら営業力があっても、モノが悪ければ売れない。多様なニーズに応える幅広い商品は法人事業の強みの一つだ。ソフトバンク独自のプロダクトに加え、米国をはじめとする海外から日本市場に持ち込んだプロダクトや国内スタートアップ企業のプロダクトなどを含めた、700以上の商材を組み合わせてDX提案する。

藤長国浩専務執行役員法人副統括
写真：山出 高士

その数は、営業統括付として取材に応じた際に藤長が「現場からは何を売ったらいいか分かりませんと言われたこともありますが、売るものがないよりましだろうと返したこともあります」と冗談めかすほどだ。

自社開発にこだわらず、いいものがあればいち早く世界を見渡して売れるものを手に入れる。「持たない強さ」と言ってもいいだろう。

法人営業からは「扱う商材の幅が広いのは営業として助かります。お客様の課題に合う商材が必ずあるので、コミュニケーションの量が増え、関係を深めやすいのです」との声が漏れる。

ソフトバンクと取引のある大手企業

の幹部は「他のＩＴベンダーにはない投資家のような視点を感じる。市場で受け入れられ、伸びそうなサービスを紹介される」と、眼力を評価する。

30年ほど前になるだろうか、孫は海外で成功したものの、まだ上陸していない製品やサービスを他社に先駆けて国内に持ち込むビジネス手法を「タイムマシン経営」と名付けて話題を呼んだ。ビジネス用語として定着しているが、今でもこの気風が生きている。

自社開発した製品なら勝手に他社が売ることはない。差異化につながる、品質や機能を自分たちで決めることができるという理由で自社製品にこだわる日本企業は多い。一面、過剰品質との指摘や市場展開のスピードの遅さにつながっているのも事実だ。

ソフトバンクは違う。顧客へいかに早く提供するかを優先する。いい意味でプライドを持たないのが同社らしさなのかもしれない。

「一番売ってくれるのはソフトバンク」

海外から持ち込んだ様々なソリューションを、持ち前の営業力で多くの企業に導入していく。最近の代表例は、コロナ禍で爆発的に広がったビデオ会議だ。

2021年度第1四半期の決算説明会で、当時社長で現特別顧問の宮内謙が、前四半期比で代表的なサービスであるZoomの新規ID開通数が48倍に伸びたと明らかにしている。子会社のSB C&Sを含めたソフトバンクのグループ企業群は日本で最も多くZoomサービスを売り上げたパートナーの一つだ。ソフトバンクは2020年から、同社と戦略的な協業を進めているパートナーに贈られる「Zoom Japan Strategic Partner Award」を毎年受賞している。

マイクロソフトとの関係も深い。マイクロソフトは毎年、自社製品を売る世界のパートナー企業を表彰しているが、2020年に日本で最も優れた企業に贈られる「Microsoft Country Partner of the Year」を、子会社のSBテクノロジー、SB C&Sの3社で受賞した。売り上げ実績に加え、マイクロソフトのクラウドサービスであるAzure関連のソリューションを包括的に提供したことが評価されたものだ。

以前はGoogle Apps for Businessと呼ばれていたGoogle Workspaceは、2023年度時点で累計の社数、ID数ともに国内販売最大手だという。現在でもGoogle Cloudからは国内屈指のパートナー企業として認識されている。

2023年には、グーグル・クラウド・ジャパンが、ソフトバンクの3人の社員を「Google Cloud Partner Top Engineer」として表彰した。認定資格を持っているだけでなく、具体

法人プロダクト＆事業戦略本部データ・クラウドビジネス推進部の深堀菜生部長
写真：ソフトバンク

的な導入案件での貢献や普及にかける熱意などがなければ受賞できない。

２０２０年のマイクロソフトからの受賞も売り上げだけによるものではない。導入経験やノウハウを持つエンジニアの数を評価の対象に含める。

ただ全ての案件を自社のエンジニアでまかなうわけではない。必要に応じて、子会社のＳＢテクノロジー、あるいはノウハウを持つシステムインテグレーターと連携する。

多様なプロダクトやサービスを販売するための支援組織もある。法人プロダクト＆事業戦略本部がそうだ。

法人事業の事業戦略策定に加え、個別の本部があるデジタルマーケティング関連を除いた全てのプロダクトやサービスについて、海外を含めた開発元の企業と連携する、営業活動に有益な情報を入手し社内外に展開する、といった活動を手がける。

法人プロダクト&事業戦略本部データ・クラウドビジネス推進部の部長である深堀菜生は「現在は国内外のパートナーと協力しながらクラウドやAIに関する知識を深めて、お客様と営業担当者に役立つ情報をタイムリーに届けるよう心がけています。さらにより踏み込んだアライアンスなどを提案し、実現させることもミッションの一つです。2023年8月に発表した日本マイクロソフトとの戦略的提携が代表例です」と話す。

販売実績はITベンダーに対する信頼と交渉力に直結する。売れる海外製品を求めて世界各国で新たな商売のタネを集めてくるが、逆に日本で「一番売ってくれるのはソフトバンク」と聞きつけ、先方から売り込んでくるケースも少なくないという。

藤長は「マイクロソフトをはじめ数多くのIT企業と取引させてもらっています。実績を評価してもらって、ありがたいことに特別な条件で交渉できることもあります」と打ち明ける。条件が良くなれば他社より売りやすくなる。さらに実績が拡大する好循環が実現する。

ビジネスが有利に進むのは条件面にとどまらない。両社の関係のなせるものだ。

２０２３年3月、話題の生成ＡＩの技術を使ってMicrosoft 365の使い勝手を大きく高める「Microsoft 365 Copilot（現 Microsoft Copilot for Microsoft 365）」が発表され、世界から注目を集めた。試用版の段階から先行して手に取ることができれば、実際の商談が始まっても先行できる。

数多くのＩＴ企業がいち早く触れようとしたが、日本で実現できた企業は限られる。ソフトバンクは２０２３年8月、日本マイクロソフトとクラウドや生成ＡＩを中心とした戦略的提携をプレスリリースで発表したが、正式販売開始前からＣｏｐｉｌｏｔが利用可能になる「Microsoft Copilot for Microsoft 365アーリー アクセス プログラム」の対象になったことを明らかにしている。

グループ会社がソリューション力を高める

多様なソリューションを扱えるのは、ソフトバンク法人事業の部隊が、数多くのグループ会社の営業機能を担っているからという理由もある。２０２３年3月末時点での同社のグループ会社は３１３社だという。法人事業と関連の深い企業だけを選んでも次ページの表のように30社を超す。親会社であるソフトバンクグループ傘下のソフトバンク・ビジョ

社名	事業概要
SBフレームワークス	IT関連企業に特化した物流アウトソーシングおよびコンサルティング事業
SBモバイルサービス	コールセンター業務、アウトソーシング受託業務
イーエムネットジャパン	リスティング広告や運用型ディスプレー広告中心のインターネット広告代理店事業
インキュデータ	データ活用領域における戦略立案やCDPを活用したデータ分析基盤の構築・運用の支援
エンコアードジャパン	エネルギー関連製品・ソフトウエア・エネルギーデータプラットフォームサービスの開発・販売および輸出入
オファーズ	WeWorkのあっせん事業およびSaaSを通じた提携コワーキング会社への送客・オフィス事業
サイバートラスト	IoT関連事業、認証サービス事業、セキュリティーソリューション事業、Linux/OSS事業
サイバーリーズン・ジャパン	セキュリティープラットフォーム「Cybereason」の日本市場での提供およびそれに付帯する事業
さとふる	ふるさと納税に関する企画・コンサルティングおよび運営、管理のためのサービス提供の業務
シナラシステムズジャパン	位置情報を利用したデジタルマーケティングプラットフォームの開発
ディーコープ	購買支出にフォーカスした経営支援サービス
日本コンピュータビジョン	AI画像認証技術を利用したプラットフォーム事業
ビー・ビー・バックボーン	電気通信事業
ヘルスケアテクノロジーズ	オンラインヘルスケア事業
リードインクス	保険会社および保険代理店へのコンサルティングやInsurTechサービスの提供、保険販売のマーケティング支援事業

社名	事業概要
Agoop	位置情報ビッグデータ事業
ALES	センチメートル級の高精度測位を実現する位置補正情報の生成および配信事業
BBIX	IX事業
BOLDLY	自動運転技術の導入・運用に関するコンサルティング、旅客物流に関するモビリティーサービスの開発・運営
Findability Sciences	ビッグデータ、コグニティブ・コンピューティング、AIを活用したプラットフォームの提供
IDCフロンティア	クラウド事業、データセンター事業
LINEヤフー	インターネット広告事業、イーコマース事業、会員サービス事業などの展開、グループ会社の経営管理業務など
MICEプラットフォーム	イベントの会場選定から運営準備までをワンストップでできるプラットフォームの提供
MONET Technologies	オンデマンドモビリティーサービス、データ解析サービス、Autono-MaaS事業
PayPay	モバイルペイメントなど電子決済サービスの開発・提供
SB C&S	IT関連製品の製造・流通・販売、IT関連サービスの提供
SB Intuitions	日本語に特化した国産の大規模言語モデルの研究開発、生成AIサービスの開発、販売、提供
SBエンジニアリング	電気通信にかかわる構築、運用など
SBテクノロジー	クラウドやセキュリティー、IoT、AIを中心としたICTサービス事業
SBパワー	電力の売買業務および売買の仲介業務
SBプレイヤーズ	ICTを活用した地域活性化事業

法人事業と関係の強いグループ会社

ソフトバンクWebサイトの情報などを基に作成

ソフトバンクがグループで持つ主要なID
LINE：9600万*1 月間アクティブユーザー数（国内）
Yahoo! JAPAN：5600万*2 月間ログインユーザー数
Yahoo! JAPAN：8500万*3 非ログインユーザーも含めた月間ユーザー数
PayPay：6100万*4 累計登録ユーザー数
ソフトバンク：4000万*5 モバイル累計契約数（主要回線）

＊1 2023年12月末時点　＊2 2023年12月末時点　＊3 月間利用者数（2023年1月から9月までの月平均利用者数）。ニールセン TOPS OF 2023: DIGITAL IN JAPAN 日本におけるトータルデジタルリーチ TOP10を基に算出。スマートフォンとパソコンのユーザー重複を含まない
＊4 2023年12月末時点　＊5 2023年12月末時点

ン・ファンドの投資先が有望なビジネスパートナーになることもある。

課題解決ビジネス、DXを考える時にソフトバンクが最重要視するのはデータ活用。LINEヤフーを筆頭に、同社にはデータ活用で力を発揮するグループ企業がいくつも存在する。

ここで強調するのが、子会社を含めたグループで保有するID（アカウント）だ（図参照）。LINEで月間のアクティブユーザーが9600万、Yahoo! JAPANが5600万（非ログインユーザー数も含めると8500万）、PayPayは6100万、ソフトバンクの携帯電話契約者は4000万に達する。日本でこれだけの消費者とのタッチポイントを持つ企業はほとんどない。

祖業の流通部隊と一体で攻める

ソフトバンクグループの祖業であるICT関連の流通事業を手がけるのがSB C&Sだ。商流だけを見れば、ソフトバンクはSB C&Sの巨大リセラーとも言えるが、当然ながら両社の関係は深い。

SB C&Sの2022年度の取扱高は6640億円に上る。法人向けのITプロダクト、ソリューションの提供に加え、コンシューマー向けのモバイルアクセサリーやPC周辺機器など、国内外4000社のメーカーから40万点以上の製品を取り扱う。販売パートナーは約1万3000の企業で、4万3000拠点に達し、国内屈指の販売ネットワークを有する。

世界でどういった商品が受けているのか、市場の評判がどうなのか、といった情報はSB C&Sに集まる。定例会などを通じてこういった情報はソフトバンクも共有する。法人事業で幅広いソリューションを迅速に集められる背景にSB C&Sの存在があるのは間違いない。

SB C&SはVAD（バリュー・アデッド・ディストリビューター）を志向しており、ソリューション提案に加え、SaaS（ソフトウエア・アズ・ア・サービス）のようなサブスクリプション型商品も拡充する。

同社幹部は「売り切り、一度きりの商談では評価されない。実際に利益の5割は〝根雪〟に変わってきた」と話す。顧客が解約するまでずっと、消えることのないリカーリング（継続課金）型からの利益を根雪と表現するのが面白い。

グループ会社のCEOが集まる会議でシナジーを発掘

多様なグループ会社で構成するソフトバンクだが1社だけでできることには限界がある。ソリューション提供でのグループ会社間のシナジーを積極的に掘り起こすのが「グループCEOシナジー会議」の存在だ。特別顧問の宮内がCCoO（Chief Connection Officer）として全体を見る。

名前だけを聞くと経営陣による情報共有のための連絡会のようなイメージだが、ソフトバンクでは違う。ソフトバンクと子会社のトップが集まって、協業、連携を促進するのが目的だ。ソフトバンクを筆頭に、LINEヤフー、PayPayなどを含め50社以上が参加。CEOに加え「アンバサダー」と呼ばれる各社の推進担当の幹部も同席する。

開催頻度は2カ月に1度。新組織の紹介や成功事例の横展開など毎回3、4社がシナジーの生まれそうなアイデアを発表。具体的な事業内容を共有することもある。すでにグループCEOシナジー会議での発表から100を超えるシナジー案件が誕生している。

好例がグループ会社のオープンストリートが手がけるシェアサイクル事業の「HELLO CYCLING」だ。グループCEOシナジー会議で説明した結果、担当者間のやり取りで実現に時間がかかっていたLINEやPayPayのミニアプリからの予約が短期間で可能になったという。さらにトレジャーデータのCDPを活用した顧客分析を取り入れ、ソフトバンクのIoT用SIMで自転車を遠隔監視、第4章で詳述するAgoopの人流データでシェアサイクル以外の人々の動きを含めた回遊状況を可視化し、シェアサイクルの利用状況を重ね合わせて分析できるようにした。出前館の配達員向けに一定期間の間の利用を促すクーポンの配布も実現している。これらの施策の効果もあり、2年でユーザー数は2・8倍に増加した。

データベースや動画で提案書、商品知識を共有

当然だがデジタルを使った営業支援にも積極的だ。同社独自の仕組みとしては、長年にわたって法人事業のマーケティング部門が整備してきたデータベースの「Answers」

がある。顧客事例やテンプレート化された提案書がデジタル化されて大量に格納されている。なかには動画形式のものもある。

ダウンロードして個別の顧客に最適化することもできるが、商談のなかで顧客が興味を持ちそうだと感じたテーマがあれば、これに応じた提案書をｉＰａｄの画面などからその場で見せることができる。

共有することで、一から提案書や資料を作成する時間がなくなり業務が効率化するのはもちろんだが、効果はほかにもある。セキュリティーをテーマに商談がスタートしたが途中、デジタルマーケティングの話題で顧客と盛り上がったとする。通常なら「次回はデジマの話でご訪問します」という流れになりがちだが、ソフトバンクの営業はその場で、デジマの資料をＡｎｓｗｅｒｓから手元のｉＰａｄに映し出し、提案につなげる。営業活動のスピードは各段に速まる。

前提となる商材の知識も積極的に吸収する機会を提供する。朝一番の時間帯が多いというが、週に何度も動画による商材の説明会が開催される。30分から1時間の長さで外部のＩＴベンダーの担当者が自らの製品の特長と顧客に訴求するポイントを伝える。

大型の受注案件や一押しの製品、サービスなどを5分ほどの動画で紹介する「Ｂｉｚ ＴＶ」も忙しい営業への有効な情報提供の場になっている。

ワンストップだから選ばれる

製品やサービスなどソリューションの導入時点だけでなく、利用が始まった後の運用に対する意識付けの高さも営業力を高める。

ITやDXに関する製品やサービスの導入目的は生産性向上などの効果を出すことにある。買って終わりではない。だが技術的な知識が必要で、専門人材を十分に確保できないなどの理由で、導入後の運用に負担を感じる企業は珍しくない。

ソフトバンクはこのニーズに応える。ソフトバンクは、製品やサービスだけでなく、運用支援や運用代行を含めて提案することが少なくない。運用業務の質を高めるための技術者育成や高いノウハウを持つ外部企業との協業を進める。複数企業のチームで運用までサポートするため、打ち合わせへの参加人数が増えるのが法人事業の「あるある」だという。

営業現場との普段の会話で、今井はよく「ワンストップ」という言葉を使う。企画段階から運用段階まで幅広く支援する姿勢を示したものだ。

対応する領域も幅広い。前述したセキュリティー事業は好例だろう。関西に本社を置くあるメーカーは、制御系ネットワークのセキュリティーをソフトバンクに発注したが、監視ツールだけではなく、24時間365日体制でセキュリティーの監視・分析・対処方法の提案までを請け負うフルマネージドサービスまで含めた提案を評価した。

デジタルマーケティングでも運用まで支援する。デジタルマーケティングの強化に取り組むウエルシア薬局では、公式ＬＩＮＥの運用まで請け負う。クラウドやネットワークは言うまでもない。


関連する技術の習得にもどん欲だ。代表的な企業向けクラウドの一つであるマイクロソフトのMicrosoft Azureに関しては、設計から運用までを顧客に代わって請け負うことができる企業として最上位に当たる「Azure Expert マネージド サービス プロバイダー」の認定を受けた。

ワンストップでのサービスは、通信事業者として自ら大規模なネットワークや数千万人規模の顧客データベースを運用してきた経験、あるいはＬＩＮＥヤフーやＰａｙＰａｙといった企業をグループに持つ強みを生かしたともいえる。ある大手顧客は「巨大な通信事業を手がけている会社の運用だから信用できます」と話す。

「営業が強い」と聞くと、ともすれば売るまでの熱心さをイメージすることもあるが、運用工程まで含めたむしろ手離れの悪いトータルでの提案力が、評価につながっている。

ベースがあるから強い

一つ、ソフトバンクの法人事業を語るうえで忘れてならないのは、通信事業は売り切りではない繰り返し型、リカーリング型のビジネスが基本ということだ。絶え間なく硬貨を受け取る音から「チャリンチャリンビジネス」あるいは「ストックビジネス」とも言われるが、解約されない限り、通信料金は毎月発生する。

解約率を一定以下にコントロールできれば、既存の売り上げはそのままに新規分が追加されるので事業を増収基調にしやすい。ソフトバンクが様々な事業に挑戦できるのはストックビジネスの土台があるからこそだ。

「ストックビジネスを下げないのを基本に、新規のフローをどう積み上げることができるかという考え方です。システムインテグレーターは、新規のフローを獲得できないと今月の売り上げが立たないということが起こりますので、そこは違いがあるはずです」

藤長はこう説明する。

収益の安定化を目指し、システムのアフターサポート事業などで、多くのシステムインテグレーターもストック型の売り上げ確保に力を入れている。だが、キャリアのような売り上げ構造は実現できないのが現実だ。

ソフトバンクはストックビジネスの価値を熟知している。同社が力を注ぐソリューションの大半を占めるクラウドはリカーリング型サービスの代表だ。

定額制のクラウドは、利用する企業にとってもメリットがあって普及が続く。買い切りでないので一時的な支出を抑えることができる、固定資産化しないので減価償却の必要がない、導入してから利用開始までの期間が短い、といったことが主な理由だ。

前述のワンストップでのサポート体制もストックビジネスの拡大に寄与する。運用は恒常的に発生する業務だからだ。付き合いは長期になる。さらなるメリットもある。長期になれば顧客のふところに入りやすい。新たなビジネスのアイデアが生まれる。

こういったいくつもの仕組み、組織的な積み重ね、支援体制があるからこそ、短期間で若手の営業担当者でも多彩なソリューション提案が可能になるのだという。

第3章　まず自ら変革を実践

法人事業の特徴を考えるなら、まず自分たちが使う、いや「使い倒す」ことで、独自のノウハウをつかみ、自信を持ってソリューションを売るという姿勢を忘れるわけにはいかない。これも強い営業を生み出す仕組みと言うこともできるだろう。本章では、そのきっかけとなったｉＰａｄ導入、さらに全社を挙げた最新の取り組みであるデジタルワーカー４０００プロジェクト（ＤＷ４０００プロジェクト）と東京・竹芝への本社ビルの移転を取り上げる。

ｉＰａｄはどう使えばいいのか？

「自分たちで使い倒す」という企業文化の普及は、ｉＰａｄの国内販売が開始された２０１０年にさかのぼる。量販店やオンラインショップでは端末を購入できたものの当初、キャリアでｉＰａｄを扱うことができたのはソフトバンクだけだった。Ｗｉ-Ｆｉ経由ではネットにアクセスできたが、他のキャリアのＳＩＭカードでは通信機能を持たせることができなかった。

パソコンでもスマホでもないタブレット端末という新しい市場を切り開いたｉＰａｄを、どう使えば自分たちの業務に役立つのか——。使い倒す文化のきっかけは疑問だった。

新市場というと聞こえはいいが、業務でどう使うのかは、開発元の米アップルですらまだ明確にはなっていなかった時代だ。当時、ＣＥＯ（最高経営責任者）だったスティーブ・ジョブズのプレゼンを見ても、画面を回転させても使える、軽い、1回の充電で長持ちするといった特徴は分かるが、業務利用につながるヒントはない。

ただ革新的な製品であるのは確かだ。どう業務で使うのか、どうすれば提案につながるのか、自分たちで使いながら徹底的に考えた。どうすれば売れるのか。「ああでもないこうでもない。気が付けば会議室で何時間もたっているなんてことがざらにありました」と上野は話す。

突破口は動画だったという。軽くて画面サイズが大きく、タッチパネルで操作するタブレットの使い道として、動画は有効だった。

法人事業の営業部隊は、徹底して動画を使い始めた。提案書や事例といった営業活動で不可欠なツールを動画化していったのだ。動画作成の専門部隊も社内で立ち上げた。

iＰａｄの利用に合わせて、グーグルのコラボレーションツールであるGoogle Apps for Business（現Google Workspace）を使い始めた。表計算シートを使った共同作業の効率の良さを実感していたが、口頭と文書の説明による従来の提案方法ではなかなか顧客に伝わらない。

動画なら、目の前の顧客に何ができるのかを明確に示せる。コラボレーションツールに限らず、次々と動画が増えていった。大量の動画もiＰａｄなら1台あれば済む。紙のように、伝える内容が増えるごとに資料が増えることもない。

ほぼ同じタイミングで、法人営業の部隊では提案書や提案に役立つ情報を共有する社内向けのポータルサイトを展開するようになった。そこでも大量の提案用の動画が共有されるようになる。顧客の課題を聞いた営業が、ニーズに合うソリューションをタイミングよく動画で紹介できるようになった。

社内向けには、より効果的な提案のための情報共有ツールとして、２０１１年11月に「Ｂ·ｉｚＴＶ」と名付けた5分の動画をスタートした。大型の受注案件、その時々の一押し製品、サービスなどの紹介が主な内容だ。

ソルトバンクでの生成AI活用をテーマにした回のBizTV

出所：ソフトバンク

現在もBizTVのコンテンツは増え続けている。週に1回の配信で、キャスターやインタビュアーが登場するニュース番組仕立ての内容で届けている。法人の営業からの視聴率も高い。平均視聴率は80%に達する。

突然のペーパーレス宣言、次々と複合機を撤去

2012年4月には突然、孫がグループ全社員に対して「社内業務ペーパーゼロ宣言」を出した。孫がペーパーレス宣言を社外に明らかにしたのは、同じ月の決算説明会でのことだ。

在籍する多くの社員にとって「寝耳に水」の出来事だった。その日から全フロアにあった複写機が次々に撤去されていったという。会計報

告で必要な交通費の台紙などごく一部の例外はあったが、紙の排除は徹底していた。どうしても複合機を使って紙を出力しなければならない場合は、部長の承認が必要になった。

営業部隊が苦労したのは顧客への提案資料。商談で紙を使うのが当たり前の時代だ。ペーパーレスの大方針がある以上、何度も部長印はもらえない。顧客に頭を下げ、紙の提案書をなくし、iPadを見せながらプレゼンするか、あるいはプロジェクターやモニターにiPadをつないで説明する営業スタイルに変えていった。

だが、いつもプロジェクターやモニターのある会議室で提案できるわけではない。いつの間にか、小型プロジェクターを客先に持参する営業担当者が何人も現れた。取材に応じたある社員は「出先に行く前には、プロジェクターを忘れていないか確認するのが習慣になっていました」と懐かし気に語る。

文書などを保管していた袖机やロッカー、キャビネットも激減した。顧客から受け取った文書を紙のまま保管するのは物理的に不可能だ。スキャンするか、頭を下げて顧客にPDFを送ってもらっていたという。

相当なストレスはあったものの、やがてペーパーレスによる効用を感じ始める。まず固定席レイアウトではなくフリーアドレスに移行できた。社外を含めて業務の柔軟性が一気に高まった。生産性も上がる。

働き方改革の先取りだ。これなら自らの体験から自信を持って提案できる。差異化もできる。とにかくワークスタイル変革の提案を続けたという。

「通信からワークスタイル変革というソリューションを提供する会社にシフトしました。これが法人事業で重要な脱皮の一つです」と上野は述懐する。

4000人分の業務を自動化

「ソフトバンクグループ（SBG）の孫正義会長兼社長は13日、通信子会社のソフトバンクで定型業務を自動化するRPA（ロボティック・プロセス・オートメーション）を活用し、2020年度末までに4千人分の業務を代行させる計画を明らかにした。自らのグループでも生産性向上に取り組む」

2019年6月13日の日本経済新聞電子版記事、「ソフトバンク、RPAで4000人分の業務代行　孫氏が表明」から引用した。ソフトバンク・ビジョン・ファンドが投資するRPAベンダーのAutomation Anywhereが同日に開催したイベントでの孫の講演の内容を報じたものだ。

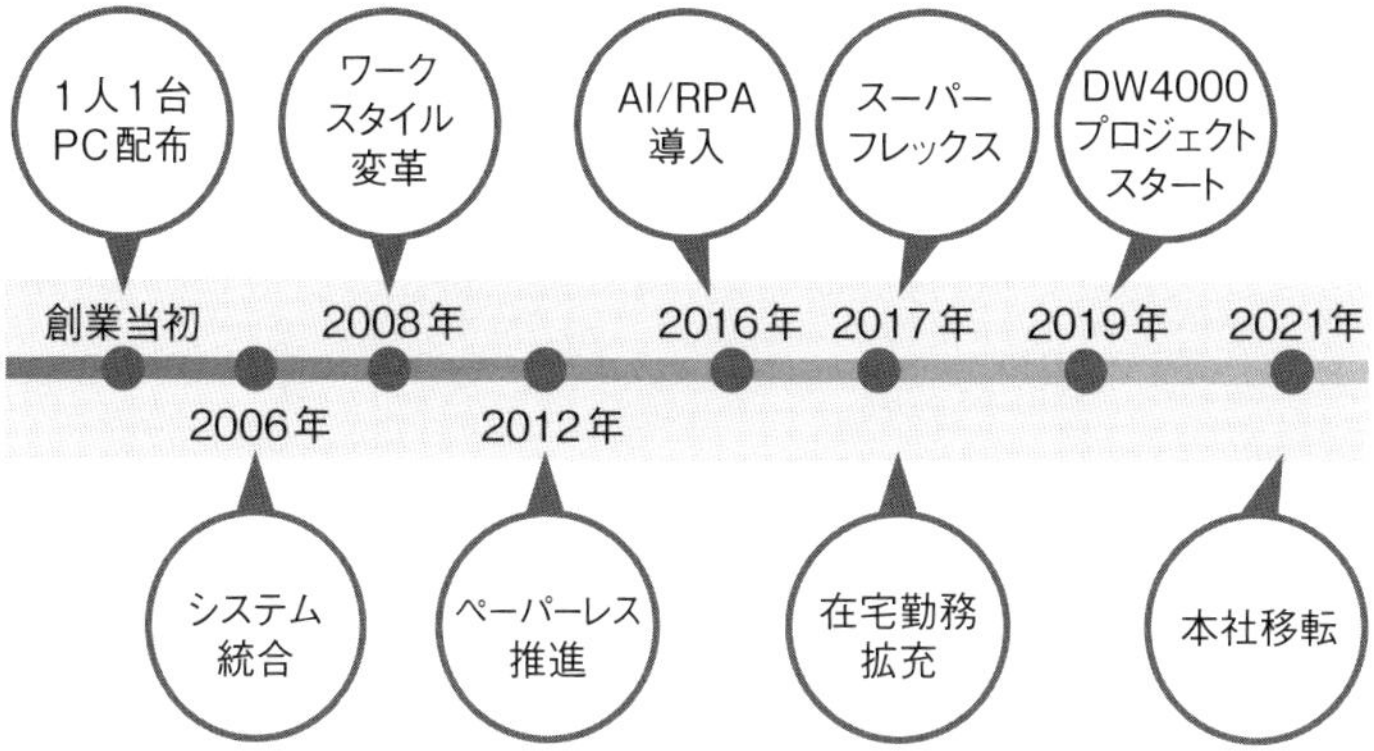

デジタル化による生産性向上と働き方改革の継続がDW4000プロジェクトにつながる
ソフトバンクの資料を基に作成

最初に口に出したのは孫だが、プロジェクトは成長戦略と構造改革の推進を掲げていた当時の社長の宮内が、自らプロジェクトオーナーとなり、全社に号令をかける格好で引っ張った。前述の記事には記されていないが、4000人月は約2万人の従業員の総業務時間の20％に相当する。労働時間に換算すると、作業から解放される時間は1年間で770万時間に及ぶ。

業務効率化自体は以前から取り組んでいたお家芸だ。2012年からペーパーレス化に取り組んだことで、自然と情報はデータ化される。この土台の上で2016年から同社が本格的に活用し始めたのがRPAだ。ソフトウエアを使って人間が行っていた作業を自動化するRPAは日常業務の効率化に確実に効果を発揮する。それでも簡単な目標ではない。

宮内から任命され、全社の取り組みを支援するプロジェクトマネジャーを務めることになったのはカスタマーサクセス本部の本部長である上永吉聡志だ。RPAに代表されるデジタルオートメーション事業を手がけ、ソフトバンク社内のデジタル業務改革推進を担当していた経歴を買われた。

その上永吉ですら、プロジェクト開始当初は「年間で数万時間ならともかく、770万時間と聞いて、どうすれば実現するのか想像がつきませんでした」という状況だった。

とはいえ前進以外の選択肢はない。「社内の非効率な業務をデジタルシフトして、まずはEXを高める」。DW4000プロジェクトの目的を上永吉はこうとらえてプロジェクトに取りかかった。EXとはエンプロイーエクスペリエンスの略であり、従業員の体験の向上、より高付加価値な業務へのシフトの実現だ。ペインポイントをデジタルで解消し、従業員の業務を効率化することでリスキリングの時間を捻出する。リスキリングによって新規事業で活躍する人材も育成できる。

EXの向上で生まれた余裕は、より高いCX（顧客体験）へとつながる。CXが高まれば顧客の成功の確率が高まる。上永吉は外部の企業に頼るのではなく、全ての社員が当事者意識を持ってプロジェクトに当たるように心がけた。同時に、自分たちが使って得た成果を外販することも想定していた。ＲＰＡにかかわった時点から「プロジェクト推進のノウハウは必ずお客様の役に立つ」という信念があったからだ。

さかのぼること2年ほど前の２０１７年に、ソフトバンクは働き方改革を進める新たな人事制度をスタートさせていた。この時に打ち出された社内スローガンが「Ｓｍａｒｔ＆Ｆｕｎ！」になる。狙いはＩＴを使って全ての社員がスマートに楽しく働けるようにすることだ。Ｓｍａｒｔ＆Ｆｕｎ！のスローガンの下、業務プロセスの見直しや既存システムの改修にまで踏み込んでＤＷ４０００プロジェクトは進められることになった。

社内ＤＸでＥＸ向上

ＤＷ４０００プロジェクトは業務の棚卸しから始まった。慣例的に繰り返してきた業務について「本当に必要なのか、ムダはないのか」という観点から愚直に確認した。

単に確認すれば終わりではない。業務工数の課題を構造的に把握していった。部や課の規模感、具体的な業務内容、かける工数、感じている課題などを把握し、業務プロセスにひも付けて課題を因数分解した。複数の部署にまたがっていて、部署ごとで負荷が大きく異なる業務などが見つかれば、どこに問題点があるかを突き止めていった。

棚卸しにかけた期間は3カ月に及ぶ。因数分解した棚卸しの結果は縦軸に業務機能、横軸に組織機能を取った工数のヒートマップとしてまとめ、どの組織でどのような業務にどの程度の工数がかかっているかを見える化した。

並行して現場からの声を募った。日々の頭痛のタネは数千を超えたという。これらの声とヒートマップを関連付け、全社の業務プロセスがどういった課題を抱えているかを見渡せるようにした。得意のデータに基づく可視化だ。見つけた課題に優先度を付け打ち手を検討する。プロジェクトの期限を勘案しながら、業務プロセスを見直し、RPAなどのデジタルツールの導入やシステムの改修を進めた。

トータルで実施された業務改善策は3000を超す。プロジェクトの終了月となる2022年3月時点で、4513人月分の時間を生み出した。38・6%はBPR、つまり業務の見直し、32・7%はRPAに加え、電子押印、BIツールなどの導入やコミュニケーションツールの活用、残る28・7%は既存システムの改修を通じた機能強化によるものだった。

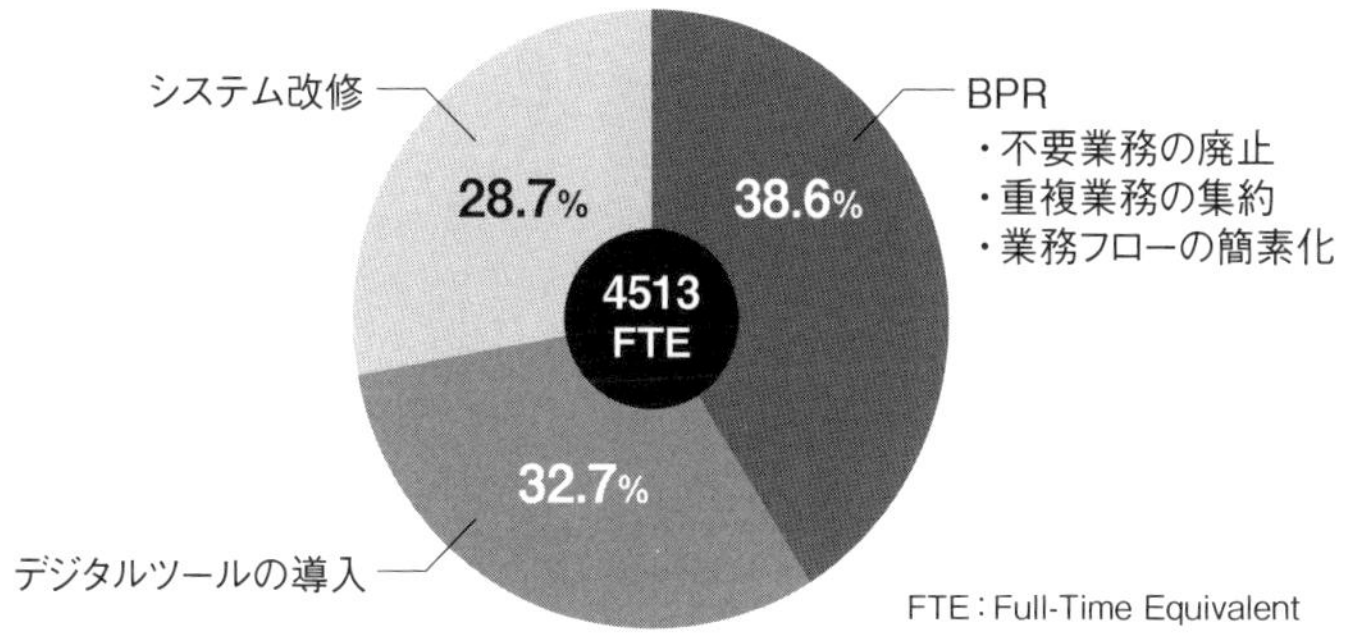

約4500人月分の業務時間を創出
ソフトバンクの資料を基に作成

結論から言えばプロジェクトは大成功だった。

プロジェクトを1年延長

ただゴールには簡単にたどり着いたわけではない。プロジェクトは当初２年の計画だった。プロジェクトマネジャーとして全体の進捗を見ていた上永吉は１年の延期を経営会議に申し出て了承された経緯がある。

現実の進捗を見れば、２年で目標の４０００人月を創出するのは無理だった。特に１年目が終了した時点では「見えないエベレストの頂きを目指す」ような感じだった。２年目に入り、成果は着実に積み上がり始めたもののゴールはまだ遠い。一定の成果ありということで終了させるべきか、あくまでも目標を目指すべきか。

悩んだ末に上永吉が選んだのが1年延長で目標の完遂だった。全社プロジェクトという機会を使って、EXを向上させたいという思いが勝った。

見える化と並んで、プロジェクトを進める推進力となったのは体制だ。推進力を持たせるためプロジェクトオーナーは社長の宮内（社長交代後は宮川）とした。トップダウンでビジョンを周知徹底できる意義は大きい。全社横断のプロジェクトチームを発足したうえで、各事業部門の役員クラスを推進責任者に任命して陣頭指揮を執らせた。

DW4000プロジェクトのように全社横断ではないものの、各事業部門などでも個別に業務効率化、業務の見直しなどには取り組んでいた。過去の取り組みを否定することなく、全社横串のプロジェクトを推進するため、プロジェクトマネジャーが全社のプロジェクトチームと各事業部門の間に入り、全社で策定した方針と各部門との間に隙間風が吹かないよう合意形成を図ったという。トップダウンでのビジョン共有を進めるために社長をはじめとした経営層がメールやイントラネットでメッセージを発信するとともに、現場で影響力を持つ幹部クラスを集めた説明会を通じての理解醸成を図るなど、全社員に向けたコミュニケーションの強化に努めた。

RPAの普及に関しても、何ができるのか、どういったことに向いているのか、何に気をつけて開発・運用するのか、といった内容の研修企画、さらには使っている開発環境や具体的にどんなロボットが導入済みなのかといった部署間で共有できる情報をまとめたうえで、現場に展開していった。自発的アイデアや取り組みを促すことを目的に、BPR、あるいはAIの基礎に関する研修などを通してデジタル人材の育成も進めた。

採用にAI、モバイル契約登録にRPA、基地局管理でシステム改修

どんな改善の積み重ねでDW4000プロジェクトは達成できたのか。いくつか具体例を示したい。

採用業務は人事にとって頭の痛い作業だ。質のいい人材は採りたいが、応募者が増えればどうしても選抜の手間は増す。

効率化の面から、ソフトバンクでは新卒採用活動の一環でもあるインターンシップの選考で、事前に用意された質問に対して学生が動画で回答する動画面談を実施していた。動画はデジタルデータだ。ベテランの人事担当者がどういった動画を過去に評価していたかといったデータを学習させ、AIで評価するようにした。ただAIに頼り切るのではない。AIが不合格と判断した希望者に関しては、必ず人事部門の担当者、つまり人間が再度チェックして最終判断する。このやり方に変えたことで、選考作業の時間を85%削減した

という。

DW4000プロジェクト以前から、業務の効率化を進めるため、エントリーシートの合否判定にAIを活用していた。こちらも実施以前に比べて選考時間の75%を削減している。

法人事業でモバイル契約を受注した際の営業アシスタントによる登録業務も改善した。以前は、契約の受付開始から登録完了まで、入力内容チェックを含めて1件当たりおよそ60分かかっていた。RPAを導入し、登録とチェックの自動化を進めたことで、1件当たりの時間を半分の30分に短縮した。

モバイルキャリアにとって不可欠な大量の基地局の入力作業も改善が見られた。携帯電話が利用できるのは基地局の存在があるからだ。特に5Gは従来の通信に比べて高速化し、大容量、多数同時接続、低遅延を実現するが、より多くの基地局設置が必要になる。2023年の同社の発表によれば6万5000局を超える。これだけの数になると管理の手間も膨大だ。

利用するシステムも一つではない。基地局建設情報管理システム、契約管理システム、部材発注システム、工事管理システム、DW4000プロジェクトではこれらの入力業務を見直して不要な項目をなくしたほか、RPAにより複数のシステムを連携させデータの入力を減らした。廃止された手動の入力項目は307に及んだという。

実際に業務でこれらのシステムを使っているのは、全国の九つのエリアにある基地局の管理部門だったが、全容を把握している担当者がいなかったため、独自ルールで運用していた。実際の使い方や、表示項目の要不要を集約した結果、必要がない項目だけでなく、他のシステムとの自動連携により入力が不要になる項目や、RPAによって入力不要になる項目が多数あることが判明。全社最適の視点で必要な項目だけに絞り込んだ。

プロジェクトで技術部門の推進事務局を担当した、テクノロジーユニット統括 技術企画管理本部の一ノ関夏生は「表示項目が減ったことで必要な情報を確認しやすくなりました、入力の手間が減ったので現場の社員たちも喜んでいます。まず現状を可視化して効率化の必要性を実感してもらったこと、推進事務局だけでなく現場と一緒にプロジェクトを進めたことで、当事者意識を持って改善し続けるモチベーションが生まれました」と振り返る。

ほかにもチャットボット、電子押印の導入など、ITを使った効率化の試みがそこかしこで実施された。これらの合計が3000を超える業務改善策として結実した。

実はDW4000プロジェクトは、上永吉にとってまだ現在進行形だという。「業務改革は永続的な課題であり、やり続けていかなければなりません」と上永吉は語る。

本社がスマートビルの実験場

DW4000プロジェクトとほぼ時を同じくしてソフトバンクが挑戦したのがオフィスのスマートビル化だ。

コロナ禍の収まらない2021年1月、ソフトバンクは東京都港区の「東京ポートシティ竹芝」への本社移転を開始した。入居に当たって「フルスペックの5Gを使ったビルでどういったことができるのか」というテーマで考えたという。

どういった形で実現させたのか。難しく考える必要はない。東京ポートシティ竹芝のソフトバンク本社を訪れれば、スマートビルがどういったものなのかを自分の目で感じることができる。

ビルに入り、オフィスの受け付けがある6階に進む。ソフトバンク本社への来場者は受け付けでどこに向かうかを告げる必要はない。事前にメールで受け取ったQRコードを、エレベーターホールに続くゲートでかざせば終わりだ。エレベーターの行き先ボタンを押

顔認証だけで社員はオフィスに出入りできる
出所：ソフトバンク

す必要もない。目的階まで運ぶエレベーターが自動的に決められる。前で待てばいい。

入場する際、目にとまるのがゲートの上部にあるカメラだ。ゲートを通り過ぎる社員は全員が顔認証システムでチェックされている。顔認証はソフトバンクで働く社員にとってメリットが大きい。カメラを見ると自動でゲートが開く。時間は0・5秒ほどで終わる。入館時に社員証を使う必要はない。聞いてはいたが目の前で見た時には驚かされた。「やはり便利」と社員は話す。

顔認証システムはコロナ禍で別の機能も提供した。AIによる温度検知だ。マスクやメガネを身に着けた状態でも

0・5秒で発熱の疑いがある人間をスクリーニングする。37・5度以上の場合にはアラートが鳴り、警備員が声をかけるルールが運用されていた。

オフィスワーカーのストレスを下げる

リモートワーク、スーパーフレックスタイムが定着してはいるが、オフィスに出社した方が効率的な業務も多い。オフィスワーカーの働きやすさも考えられている。フリーアドレスなのはもちろん、内線も外線もシームレスにスマホで受信可能だ。会議室予約、来客の管理、各部屋の開錠もスマホで完結する。顔認証は執務室の出入りでも使う。

オフィス内のゴミの回収もスマートだ。ゴミ箱にセンサーを設置しており、たまったゴミの量が分かる。ゴミの量は施設管理システムと連携しており、一定以上になったら清掃員が回収する。タイミングが遅れてゴミがあふれる、逆にほとんど空のゴミ箱を確認するといったムダがなくなる。

大型のオフィスで気になるのがトイレだ。行ってみたら満員で利用できず、席に戻った経験のあるビジネスパーソンは多いだろう。竹芝の本社は異なる。社員のスマホに搭載されたアプリでリアルタイムでトイレの利用状況が分かる。商業施設が入るエリアでは、社

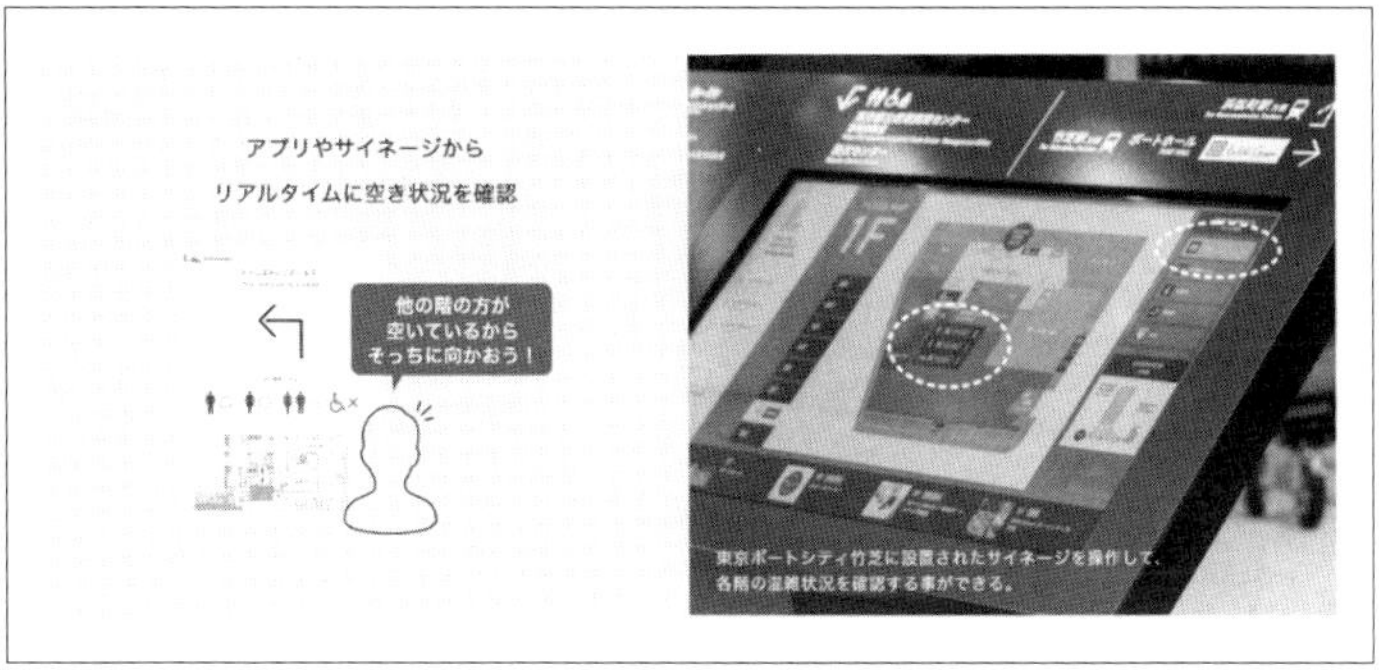

アプリやサイネージでトイレの混雑状況が確認できる
出所：ソフトバンク

員以外にも分かるようデジタルサイネージから確認できるようになっている。利用者の数自体を変えることはできないが、確実にストレスの解消にはつながっている。

便利を超えた快適さを感じさせるスペースということで言えば、地上30階にある「カフェシバ」に触れないわけにはいかない。フロア全体に広がるカフェシバは単なる社員食堂の域を超えたスペースだ。食事ができるのは当然だが、スクリーンやステージが常設されており、数百人単位でのイベントが可能なスペース、大型モニターのある打ち合わせスペースなどがあり、シェアラウンジ顔負けの幅広い使い方で社員の働き方を支援する。

スマート化にも対応する。飲食の支払いは完全キャッシュレスで、ＰａｙＰａｙや交通系ＩＣなどが使える。支払時の混雑は確実に軽減している。

大型モニターやステージを備えたカフェシバのイベントスペース
出所：ソフトバンク

あちこちでロボットが活躍

ほかであまり見ることがないものでいえば、水やコーヒーなどのドリンクを会議室に届ける配膳・運搬ロボットの「Ｓｅｒｖｉ」がある。「大人数の会議の時には重宝している」と同社社員は言う。本社内にはコンビニエンスストアがあるが、社員用のアプリで注文すると、一部のフロアにはロボットの「ＲＩＣＥ（ライス）」が商品を届けてくれる。

清掃ロボットの「Ｗｈｉｚ」も活躍する。ビルの共用部ではＷｈｉｚよりも少し背の高いロボットが巡回する。東急不動産が導入している自律移動型警備ロボットの「ＳＱ‐２」だ。内蔵するカメラで周囲を撮影しており、警備担当者などが管理画面からリアルタイムで映像を確認できる。

これらのロボットはビル管理事業者にもメリットがある。不要な人手をかけずに効率的な管理が可能になるからだ。自動で移動するロボットのほかに、要注意者検知・侵入検知システムも導入されており、異常があればビル管理者や警備員に情報が通知される。

なぜこういったことが可能なのか。スマート化の主役は1400という大量のセンサーカメラなどのＩｏＴとスマホ、クラウドの組み合わせだ。来場者が意識することはないが、東京ポートシティ竹芝では、1日に何人が来場、さらには退場したか、ある時間のビル内に何人が滞在しているかを把握している。さらに後述するＡｇｏｏｐの提供する人流データでビル周辺の混雑状況も分かる。

データの把握によるメリットは侵入検知のようなセキュリティーにとどまらない。飲食店のようなオフィス以外のテナントに新たなサービスを提供する。東京ポートシティ竹芝内の店舗は、センサーで正確な来店者数を管理しているが、来店者が少なければ、来店を促進するクーポンを来館者に自動で発行するサービスを提供する。

本社ビルのスマート化の狙いはSmart&Fun!な働き方の実現にだけあるのではない。顔認証に使うのは子会社の日本コンピュータビジョンのソリューションであり、配膳・運搬ロボットや清掃ロボットもソフトバンクロボティクスが開発・提供するものだ。5Gを使ったネットワークは言うまでもない。全体が一つのショーケースであり、自らの体験を踏まえて法人事業の提案につなぐ。

外部の関心は高い。竹芝の本社には毎日のように、施設のガイドを受けながら、内部を視察して回る数人連れの団体が現れる。スマートビルの内部がどういったものなのかを知りたい企業や自治体のオフィスツアーだ。取材で訪れたカフェシバで、筆者もガイド役のソフトバンク社員の説明を熱心に聞きながらフロアを回る一団を見る機会があった。こういった機会がビジネスに発展することも珍しくない。営業部門だけがかかわるのではなく、顧客企業からオフィス移転などの相談を受けた同社の総務部門との会話がビジネスに発展することもあるという。

竹芝全体をスマートシティー化

本社ビル内だけではない。東京ポートシティ竹芝のデベロッパーである東急不動産と共同で、竹芝地区のスマートシティー化を推進する。むしろソフトバンクが自らの経験を踏まえて外販するという視点で見れば、こちらが本筋と言ってもいい。

カメラやIoTセンサーで収集したデータをプラットフォームに収集し、様々な事業者がリアルタイムに活用できるようにした。Agoopの人流データなどと併せ、竹芝地区の混雑状況を把握できる。並行して、外部の企業とも協力しながらデジタルで現実の世界を再現する竹芝地区のデジタルツインを構築した。

東京ポートシティ竹芝のオープン前に開催されたメディア向け説明会に、当時の東急不動産社長の岡田正志と共に参加した宮内のコメントを2020年9月10日のソフトバンクニュースはこう伝える。

「『驚きと感動のある街を、ここから。』というコンセプトの下、都市開発のイノベーションパートナーとして、最先端のテクノロジーを体験できる場所として盛り上げていきます」

移転から3年が経過した今も、宮内の言葉通りに竹芝のスマートシティー化は進む。2023年6月には、地区全体の防災能力の強化を発表した。大規模な自然災害が発生した際に、災害そのものの情報に加え、SNS、交通状況、河川の水位、人流、火災、屋内や避難場所の混雑状況を統合して管理者だけでなく、スマホのアプリで滞在する人に通知するシステムを導入する。前記を含むデジタルツインによる実証では、帰宅困難者の一時受け入れ施設への誘導対応などが70％以上効率化したという。

スマートビルやスマートシティーは第2部で示す社会課題解決に向けたDXの好例でもある。

第4章 グループで保有する強力なデータ

ソフトバンクの法人事業の強さをもたらすものの一つにグループ会社を含めて保有する膨大なID（アカウント）資産があることは第2章で触れた。顧客のデータ活用を支援するソフトバンクとグループ企業のデータ資産は営業を側面から支援する。本章では、データ資産とこれにかかわる子会社を紹介する。

LINEヤフー、PayPayが保有する膨大なID情報

グループに最大のID資産をもたらしているのは2023年10月、子会社であるZホールディングスとヤフー、LINEなどが合併して誕生したLINEヤフーだ。国内屈指のID（アカウント）数についても第2章で記した。重要なのは数の多さだけではなく、LINEとYahoo! JAPANという複数のサービスにひも付くIDから利用者の多

様な行動履歴を把握していることだ。

ＬＩＮＥヤフーが持つ行動履歴データにはどのようなものがあるのか。Ｙａｈｏｏ！ＪＡＰＡＮのユーザーからは検索キーワードやＹａｈｏｏ！ショッピングでの購買履歴を、ＬＩＮＥからはＬＩＮＥ公式アカウントの閲覧履歴やメッセージのクリックなどの行動データが蓄積される。

検索データを持つ意味は大きい。検索という行為からは生活者の本音が抽出しやすい。検索データの分析により、商品を購入したユーザーが、購入前にどのような興味や悩みを持っていたのかが分かるからだ。購買履歴の重要性は言うまでもない。何に興味があるのか、何にならお金を支出をいとわないのかが分かる。

個人情報保護法を順守し、プライバシーに配慮したうえでという条件は付くが個々のＩＤの属性、行動履歴に合わせた分析、予測、告知、レコメンドなど、ＩＤの多さと深さはデータの強さに直結する。

ＬＩＮＥヤフーは、Ｙａｈｏｏ！ＪＡＰＡＮのデータ環境を統計化したうえで提供するデータソリューション事業を、２０１９年に立ち上げている（当時はヤフーが提供）。ＬＩＮＥも「ビジネスマネージャー」というデータ統合基盤を２０２１年から提供してきた。

これらのサービスはソフトバンクも扱う。ＬＩＮＥヤフー誕生でできることはさらに拡大しつつある。

２０１８年10月にサービスを開始したＰａｙＰａｙも重要な存在だ。すでに触れたが登録ＩＤは６１００万を超える。決済で使われるＰａｙＰａｙの行動履歴データの価値は高い。グループ内でもＩＤ連携の重要性は認識されている。２０２４年度にはＬＩＮＥとＹａｈｏｏ！ＪＡＰＡＮに加え、ＰａｙＰａｙを含めたＩＤ連携を検討中だ。

Ａｇｏｏｐの人流データで顧客動向を分析

Ａｇｏｏｐはリアルタイムで人流データを把握する能力を持った企業になる。同社は、承諾を得た国内のスマホユーザーから収集した位置情報を基にした統計データを企業向けに提供する。

位置情報を収集するスマホのユーザーはソフトバンクの利用者に限らない。提携企業によるスマホアプリに、位置情報を取得する仕組みを実装してもらって、ソフトバンクに限らず、ＮＴＴドコモやＫＤＤＩ、楽天モバイルなど許諾を得たユーザーの位置情報を収集する。

グラフはコロナ禍以降の東京・新橋の人流の変化を時系列で示したもの。感覚的な変化

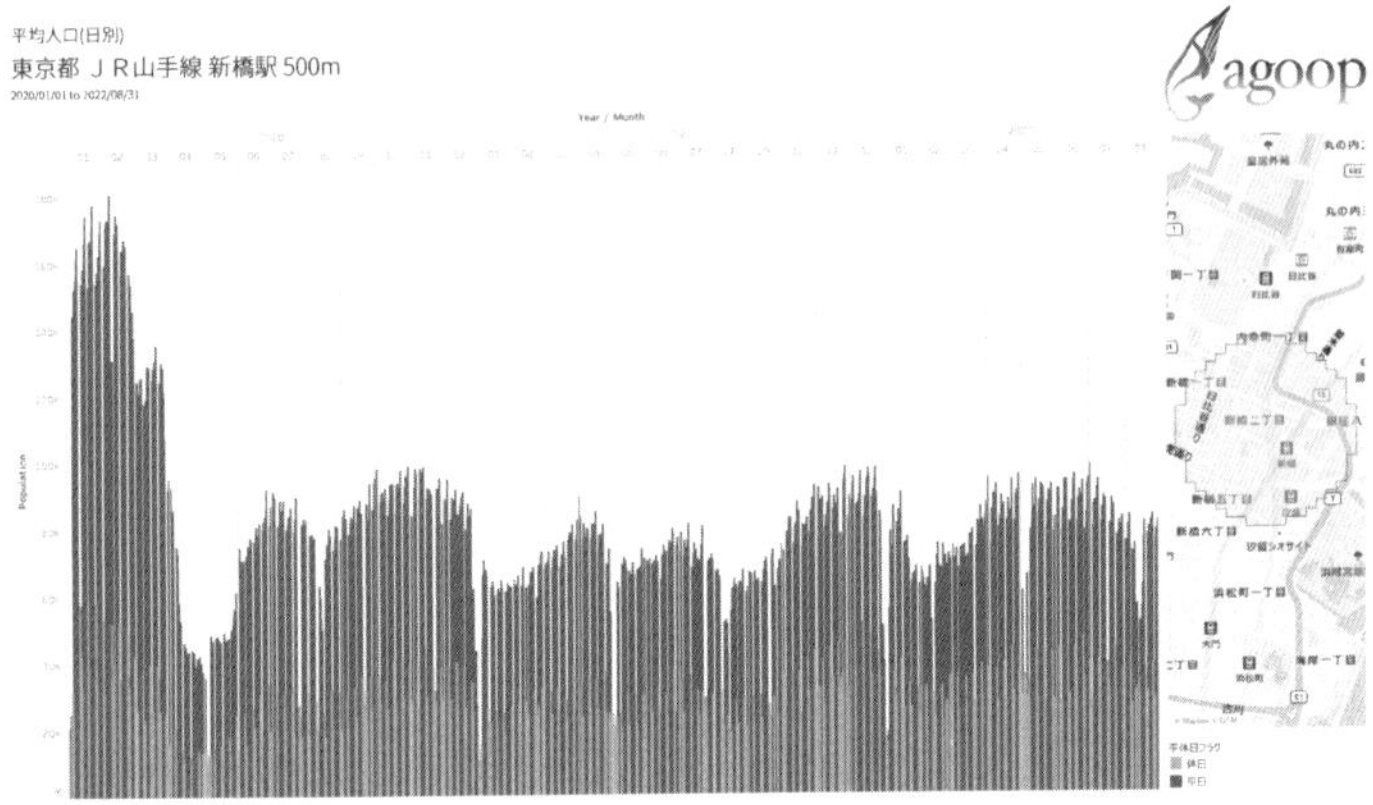

コロナ禍で生じた東京・新橋駅付近での人流データの変化
出所；Agoop

をビッグデータで明確に示す。

位置情報による人の流れは、指定したエリア間や移動軌跡上、土地建物の区画、最小50メートル四方のメッシュなどの形態で表示させることができる。人の流れを、性別、年代、居住地、年収などで区別して分析可能だ。

顧客分析、競合分析、需要予測、出店戦略はもちろん、防災や観光、交通施策にも使える。主要な繁華街や駅の滞在人口、主要な道路の通行量といった定点観測型のサービスだけでなく、顧客の希望に合わせたデータの提供やリポートの作成も可能だ。

例えば、自社店舗や競合店、コンサート会場などに来る人数や属性を分析すれば、販売する商品の検討材料になる。自社店舗に来た顧客が、1時間前にどこにいて、1時間後にどこへ行ったかという行動遷移も分析できる。

２０２３年９月に同社が発表した「トラカン」は、道路区間ごとに交通量を把握できるデータ分析サービス。通行人の最高速度を基に、徒歩・自転車・車両といった交通手段と移動方向まで判別する。

トレジャーデータ、インキュデータがCDPでデータ活用を支援

ＬＩＮＥヤフーやＰａｙＰａｙ、Ａｇｏｏｐのように自らが大量のデータを保有するのでなく、全く別の面から企業のデータ活用にかかわるのが、３人の日本人起業家が、世界のスタートアップの中心ともいえる米国シリコンバレーで、２０１１年に創業した異色の企業であるトレジャーデータだ。

同社はＣＤＰの提供を通じて企業のデータ活用を支援する。聞き慣れない言葉かもしれないが、ＣＤＰは、企業内にある多種多様で大量の顧客データをリアルタイムに収集してＩＤをベースに統合管理し、分析したり、結果を基にマーケティング施策を実行したりするための基盤となるものだ。顧客獲得や顧客のロイヤルティー向上、さらには新製品、新サービスの販売拡大などの用途で利用できる。

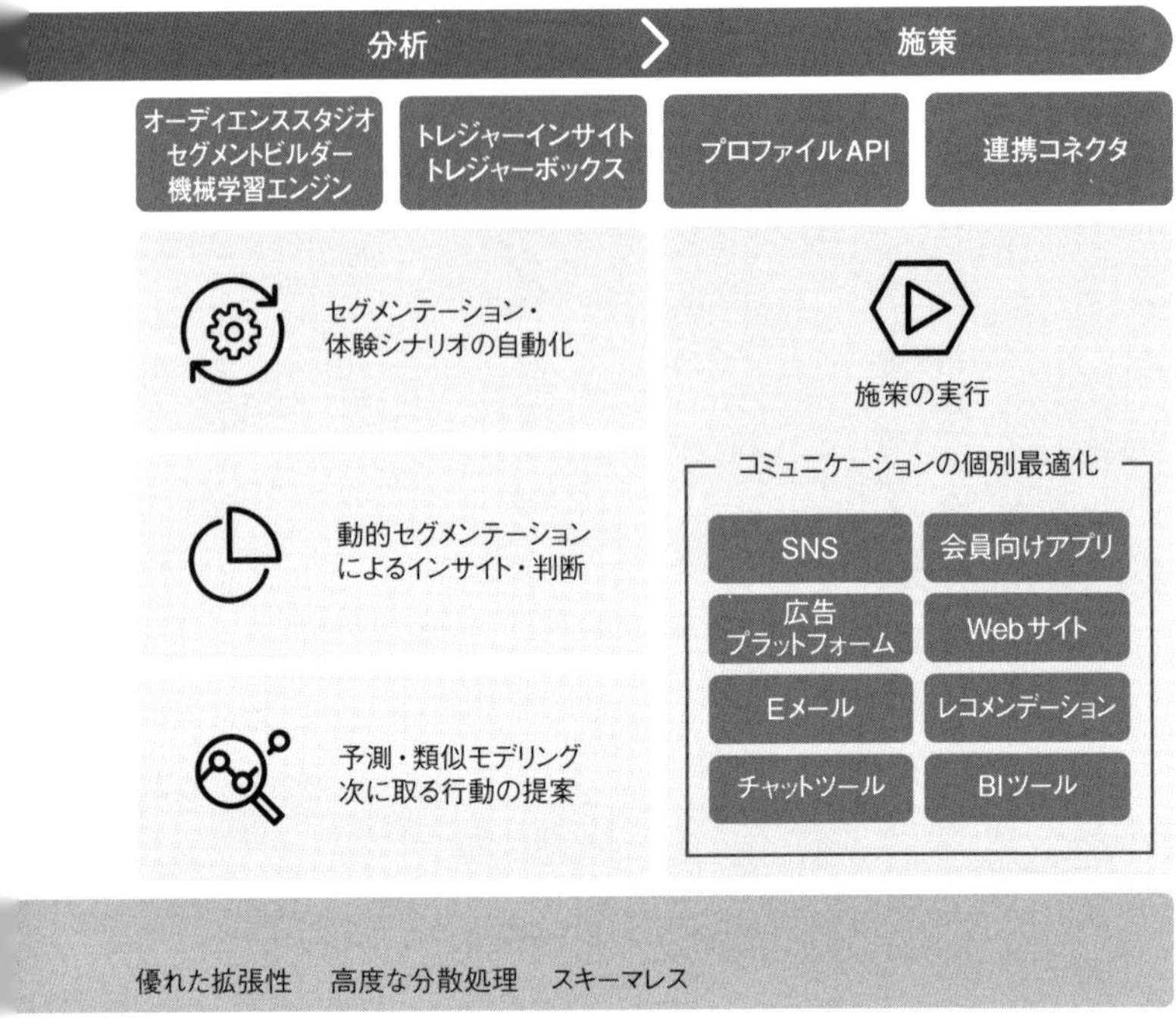

顧客に関するデータの収集自体は容易になってきたが、活用はまだまだという企業も多い。データの重複の確認、無意味なデータ、あるいは誤ったデータの排除、形式の標準化、古くなったデータの更新などを実施しなければ、本来の価値が発揮できないのだ。顧客の個人情報が特定されないよう統計的に加工する、いわゆる「匿名化処理」を施す必要もある。

　CDPはこれらの課題を解決する。トレジャーデータによれば「CRMやWebアナリ

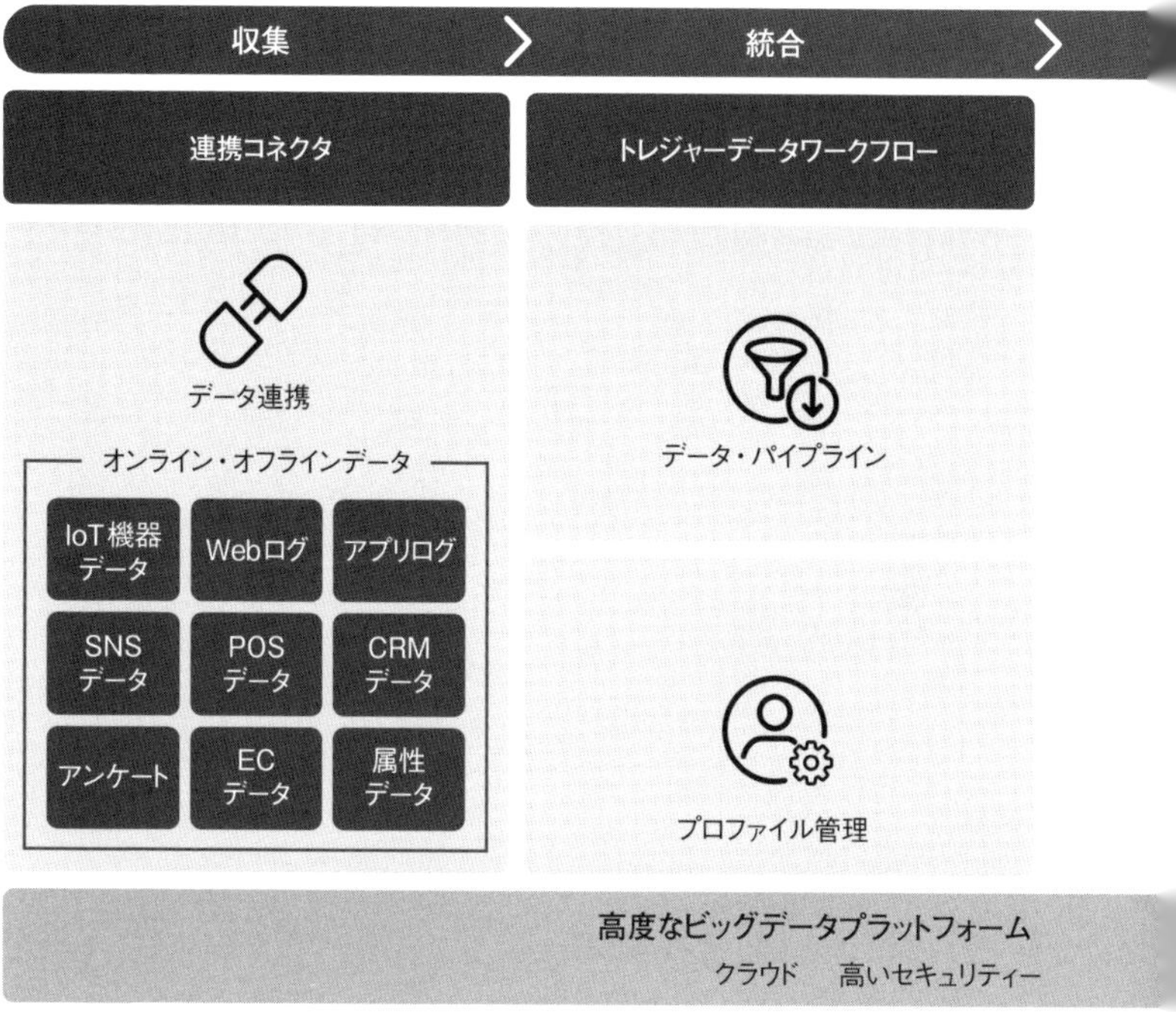

トレジャーデータのCDPの概要
出所：トレジャーデータ

ティクスといった従来のツールとは異なるレベルで顧客が理解できる。いわば視力2・0で顧客を理解するツール」だという。トレジャーデータでは、CDPの機械学習の自動化やオムニチャネルの顧客体験設計といった意思決定を支援する機能の拡充も進めている。トレジャーデータのCDPと安全を最重視して顧客のデータを扱えるようにしたLINEヤフーのデータクリーンルームを連携させれば、プライバシーを保護しながら、より深い顧客の分析が可能となる。

ＣＤＰ関連で忘れてならない子会社に２０１９年設立のインキュデータがある。同社は設立当初からトレジャーデータのＣＤＰを用いた分析基盤の構築や運用、あるいは活用のためのコンサルティング案件を手がけてきた。ソフトバンクのデジタルマーケティング本部の池田は「社内のあちこちに分散した膨大なデータをどう活用していいのか分からない企業は思った以上に多いのです。インキュデータはこういった企業のデータ活用自走化に向け伴走支援しています」と説明する。

設立から４年、第１章の事例で紹介した住友生命やウエルシア薬局に加え、オートバックスセブン、ＭＩＲＡＲＴＨホールディングス、サンスターなどが同社のコンサルティングでＣＤＰの導入を進めている。

ほかにも企業のデータ活用に有用なサービスを提供する子会社は多い。主だったところだけでも、インターネット広告会社のイーエムネットジャパン、位置情報を用いた広告配信効果の分析を手がけるシナラシステムズジャパンなどの名前を挙げることが可能だ。

法人事業の営業部隊は、これらの子会社群と連携して顧客のデータ活用について提案する。データ活用の先にはＡＩを使ったビジネスが存在する。多くのデータから学ぶことでＡＩはより強力になる。

第５章

成長をけん引する第2の柱に

第1部の最後となる本章で改めてソフトバンクでの法人事業の位置付けを説明したい。まとめれば「課題解決をビジネスにする6兆円企業の第2の成長エンジン」ということになる。第一の成長エンジンはいわずと知れた通信事業だ。約１兆７５００億円を投じた２００６年のボーダフォン日本法人買収に始まったコンシューマー向け携帯事業は現在、売上高3兆円弱の規模にまで拡大した。

ＮＴＴドコモ、ＫＤＤＩと並ぶ3大キャリアの一角を占めるに至ったが、国内市場は成熟している。総務省の令和４年通信利用動向調査でも、携帯端末の世帯普及率は２０２２年には97％を、スマホに限っても90％を超す。

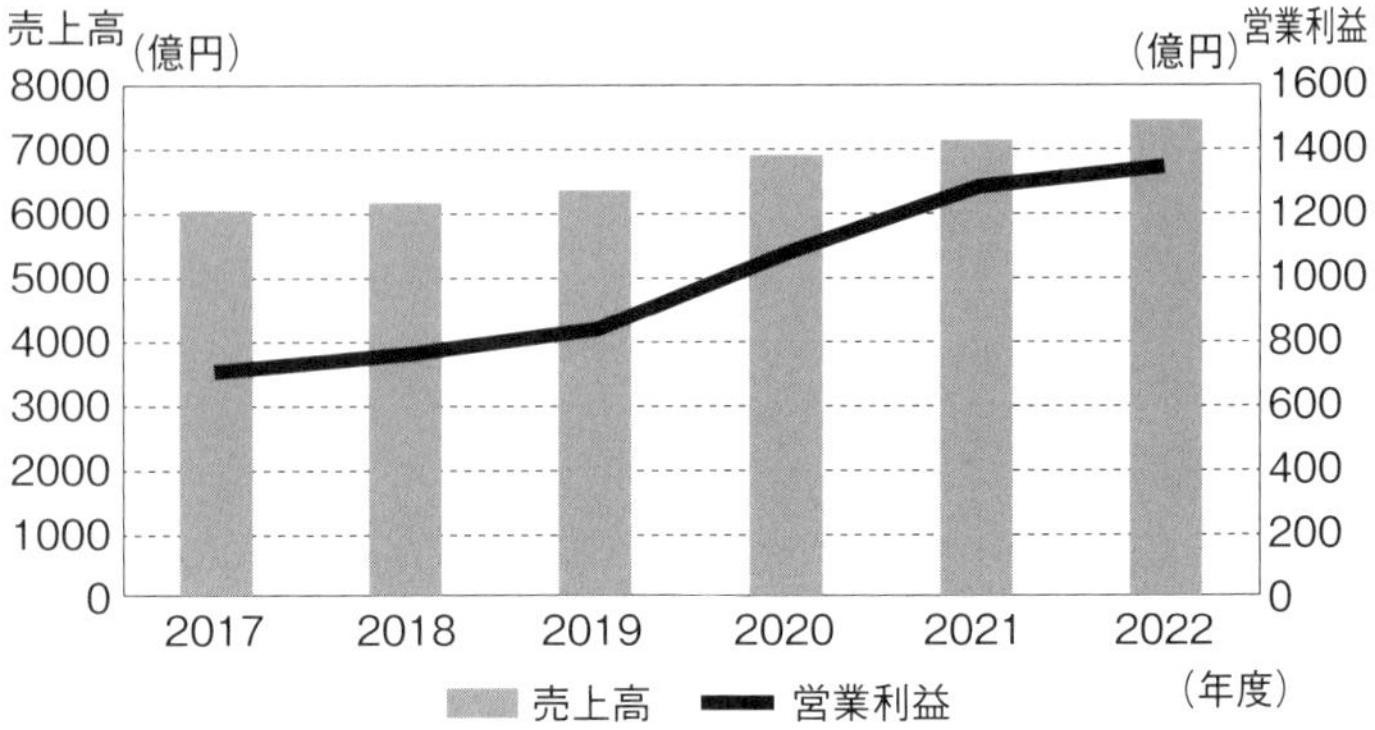

法人事業の売上高と営業利益の推移
出所：ソフトバンクの決算資料を基に作成

成長の余地は大きく、目標は高い

対して法人事業は成長の余地が大きい。事業規模は2022年度に売上高で7500億円を、営業利益で1350億円を超えた。売上高は未公表だが、2023年度は営業利益で1500億円を超すと予想する。2017年度には営業利益が700億円強だったから、ここ数年の勢いが見て取れる。

規模が拡大すれば伸び率は鈍化するものだが、少なくとも利益に関してはこのペースは持続する。2025年度までの3年間の中期経営計画でも、法人事業の営業利益の年平均成長率を2桁以上にすると明記する。

企業向けのモバイル、固定の通信事業といった事業のベース部分の急拡大は困難だが、デジ

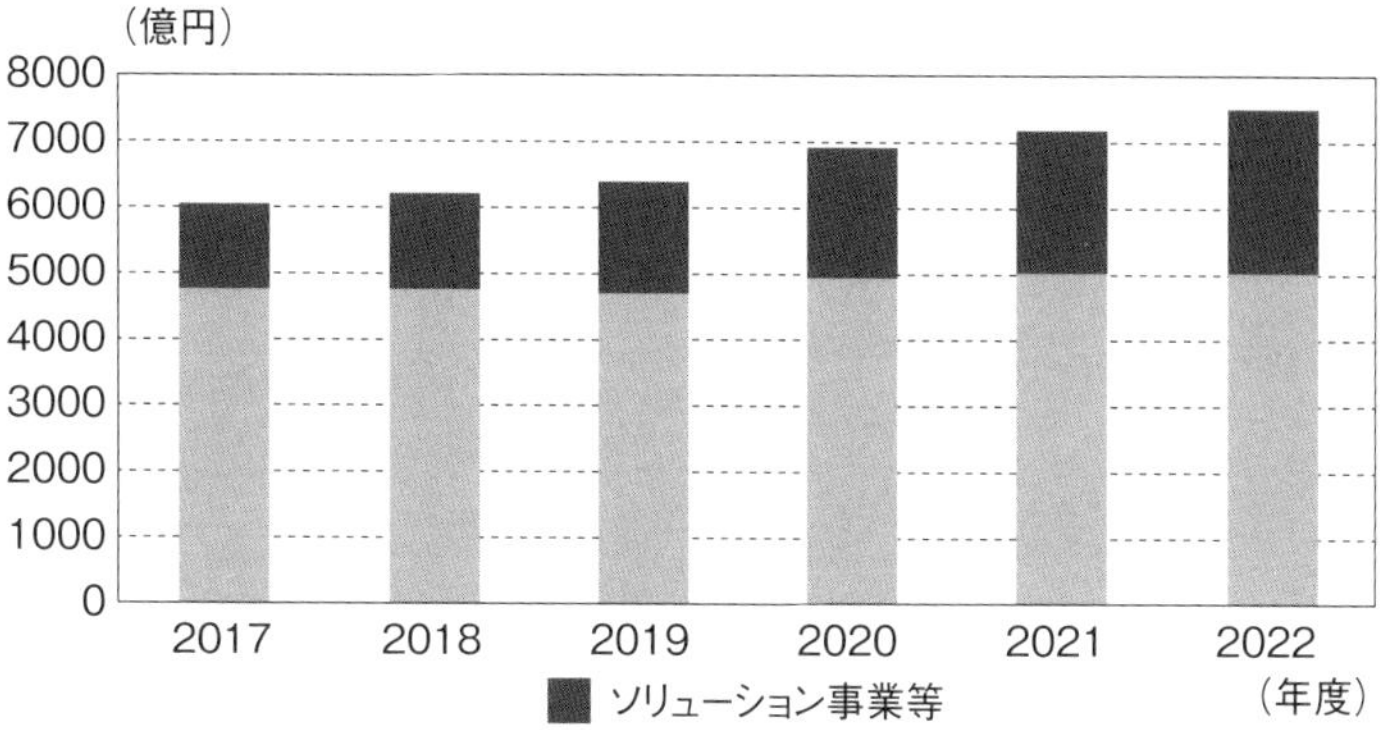

ソリューション事業拡大が法人事業全体の売り上げの成長をけん引
出所：ソフトバンクの決算資料を基に作成

タルを使った企業や社会の課題解決ビジネス、言い換えればクラウドやセキュリティー、デジタルマーケティングなどを用いるDXに軸足を置くソリューション事業の前には大海が広がる。富士キメラ総研が2023年3月に発表した日本のDX市場の将来展望によれば、2022年度の2兆7277億円が2030年度には6兆5195億円まで拡大する見込みだ。

法人事業を、第二の成長エンジンと判断する理由がここにある。対して国内の通信市場は2・9兆円の規模にとどまる。

将来への期待も大きい。具体的な年度こそ明らかにしないものの、宮川は「笑われるかもしれないくらい大きな数字を考えています。営業利益で1500億円を達成した次は、2500

宮川潤一社長兼CEO
出所：ソフトバンク

億円、その次は5000億円という目標は社内で持っています」と2023年度第2四半期の決算説明会で明言する。

現状の利益率から逆算すれば、これらの利益目標を達成するためには、確実に1兆円、2兆円規模の売り上げが必要になる。そうなれば規模でもコンシューマ事業に近づく。

実は国内トップテンクラス

コンピューターメーカーとITサービス専業のシステムインテグレーターに代表されるIT企業も、システム開発にとどまらないDX、課題解決ビジネスの提供に力を入れる。法人事業のライバルだ。

2022年度
富士通（3兆7137億円）
NTTデータ（3兆4901億円）
NEC（3兆3130億円）
日立製作所（2兆3890億円、デジタルシステム&サービスの売上高）
大塚商会（8610億円）
野村総合研究所（6921億円）
キヤノンマーケティングジャパン（5881億円）
伊藤忠テクノソリューションズ（5709億円）
TIS（5084億円）
SCSK（4459億円）
ソフトバンク法人事業（7503億円）

各社の2022年度決算発表を基に作成。決算月は異なるものがある

日本の企業向けITサービス企業の売上高ランキングとソフトバンクの法人事業の位置

課題解決ビジネスでの実力を知るために、日本のＩＴ企業とソフトバンクの法人事業を比較してみたい。

ＩＴ企業の２０２２年度の売上高ランキングは図のようになる。富士通、ＮＴＴデータ、ＮＥＣの３社が３兆円を超え、日立製作所のＩＴ関連事業が２兆円強でこれに続くが、５位以下は１兆円に届かない。

現状でも、ソフトバンクの法人事業は全体ではトップテンに入る規模に達する。企業向けといっても、スマホやネットワークの売り上げが大きいのではないかという指摘もあるだろう。だがソリューション事業に絞っても売上高は約２５００億円に上る。

この領域だけで、現状でも売上高上位20社程度には入るだろう。年率2桁の成長を維持すれば、この領域だけで数年以内にトップテン入りする可能性もある。

日本のIT業界は長年にわたって、大型コンピューター全盛時代から基幹系システムの開発を請け負ってきた企業が上位を占めてきたが、スマホとクラウドの普及で様相が変わりつつある。基幹系にあてはまらない領域のデジタル化が市場拡大を引っ張る。

グーグルのCEOだったエリック・シュミットが「クラウド」という言葉を初めて使ったのは2006年のことだった。それから十数年、世界のITはクラウド（雲）に覆われている。インターネットの向こう側にコンピューターやソフトウエアを置くクラウドにはネットワークが必須で、通信事業者と相性がいい。日本も例外ではない。

NTTドコモやKDDIも企業向けのDX支援ビジネスに力を注ぐ。NTTコミュニケーションズ、NTTコムウェアを2022年1月に統合したNTTドコモでの法人事業に相当する売上高は1兆8000億円を、KDDIでも1兆円を超す。キャリアの存在感が確実に高まっている。ある大手コンサルティング会社のトップも「キャリアと複合機ビジネスを扱う企業の存在感がさらに高まりそうだ」と言う。

第2部

社会課
挑戦こ
目指す

第1章

120人で新規事業に挑む

「これからは一切通信サービスを売るな。いろいろな企業とタイアップして、日本の社会課題を解決するソリューションや事業を作れ」

2017年10月、営業やエンジニアを中心に120人の精鋭を集め、デジタルトランスフォーメーション本部（DX本部）をスタートさせた時、「これまでとは全く異なる新たな発想で考えてほしい」という意味を込め、今井はメンバーにこう檄《げき》を飛ばした。

DX本部設立の目的はどこにあったのか。「通信の売り上げだけではいつまでも成長することはできません。専任の組織で全く新しいことをやろうということです」と今井は話す。

法人事業の関係者を騒然とさせたDX本部はこうスタートした。多くの日本企業は小規模に新規事業をスタートさせる。スタート時点で一気に120人を集めるスタイルはいっか

一堂に会した発足当時のDX本部メンバー
出所：ソフトバンク

にもソフトバンクらしい。人数に根拠はない。大きなことをやろうというのだからふさわしい陣容をそろえたのだ。

第2部では、DX本部発足の経緯、社会課題解決、あるいは生成AIを核とする今後に向けた法人事業の挑戦を描く。

法人事業がモバイル端末のモノ売りからソリューションを軸にしたコト売りに変革していることはすでに記した。営業のコンサルタント化も同じ文脈で理解が可能だ。いくら売り方を変えても、既存商品だけでは限界がある。法人事業の規模拡大、社会への影響力を高めるためにどうするかを考えるうちに出てきたのがソフトバンクの新規事業を専門で考えるDX本部の設立だった。

「クラウドの販売やコンサルタントの育成

を通じ、その経験や知識を組み合わせ、アプリやサービスを企画・構築・販売するような新しい事業を作る部署が必要だと考えるようになりました」と今井は語る。

設立時点から現在までDX本部の本部長を務める執行役員の河西慎太郎が初めて新規事業の大型部隊の責任者を打診されたのは、設立5カ月前の2017年ゴールデンウイーク明けのことだった。「営業の仕事を楽しんでいました」と言う河西は「安定的な世界から超不安定な世界」に自らの舞台を変えることが決まった。

優秀な営業、エンジニアが右往左往

ただ集められた120人が優秀だったのはあくまで営業やエンジニアとしてだ。新しい事業を生み出すセンスを持っていそうかどうかが選抜の基準だったというが、30代のまだ若手に近いメンバーも多く新規ビジネスはもちろん、アプリやサービスを作った経験はない。それどころか「事業を進めるための社内のルールもはっきりしていなければ、新規事業開発に必要な知識を身に付ける教育コンテンツもありませんでした」と河西は振り返る。

竹芝への本社移転前、スタートアップも多く利用するシェアオフィスに集められたものの、設立当初は雲をつかむような日々が続いた。その後は右往左往の連続だ。組織の設立からの半年程度で400を超すアイデアが出てきたが、ゴーサインはほとんど出なかった。河西は「身近な課題を解決するという意味では事業として成立しているものはいくつもありました。ですがどれもニッチで小さいんです。ソフトバンクがやる必然性はあまり感じませんでした」と言う。

年末年始も頭を絞り続けたという河西は2018年の2月ころ「このままでは無理だ」と覚悟を決める。悩むなかで、ふと頭をよぎったのがソフトバンク・ビジョン・ファンドの動きだった。日本国内に目を向けた発想には限界がある。誇るべき文化や制度と同時に日本の抱える課題の分析からスタートし、改めて新規事業のアイデアを導き出す方針が固まった。

「社会課題解決」という軸が浮かび上がる

結果、浮かび上がってきたのは少子高齢化という日本に突き付けられた根本的な社会課題だ。財源、労働力の不足も少子高齢化の解決を避けて通れない。同じころ、河西は「ソフトバンクさんもお金もうけだけでなく、社会の役に立つことを少しは考えていいのではないか」とある顧客から、なかば冗談めかした調子で諭されたことがあった。

「もっと社会のために汗をかいてもいいんじゃないか」。この思いがきっかけとなって社会課題解決というDX本部の基本方針が決まった。社会課題という大きな相手がビジネスなのだからニッチなものにもなりようがない。社会課題解決に沿わないアイデアはこの時点でクローズしていった。

一言で社会課題解決といっても幅広い領域が対象になる。全てができるわけではない。河西は規模が大きいにもかかわらずデジタル化の余地が大きそうな4つの業界をピックアップして、どんな新規事業があり得るかを考えたという。具体的には、ヘルスケア、小売・流通、建設・不動産、金融だ。少しずつ足がかりが見えてきた。

ただソフトバンクはゼロから内製するよりも、面白いもの、ヒットしそうなものに目を付けて一気に拡販するのが得意な会社だ。だがプロダクトアウトの発想で、既存の商品やサービスありきでは新規事業と相性が悪い。自分の頭だけで考えるアイデアにも限界がある。頼りになるのは自分たちの行動力と好奇心、構想力だ。DX本部の面々は、社内外から人を集めたワークショップの開催、リアルイベントへの参加を足がかりにしたスタートアップ企業との関係構築など、足を使いながら外部の企業との「共創」を前提とした新規事業が成立するかを考えていった。

社内の経験とリソースでは限界がある。これまで自分たちが付き合ってきた大手企業顧客こそが有望な共創の相手だと気付くのは少し先の話になる。

営業からＤＸ本部に異動してきたある人物の記憶に今でも残るのは河西から言われた「相手先に訪問ばかりするのではなくて、こちらに呼んでＷｉｎ-Ｗｉｎを考えろ」という言葉だ。営業時代はとにかく顧客ファースト。だが共創で新規事業となれば対等のパートナーになる。全てのステークホルダーにビジネス上のメリットがなければ、持続的な事業にならない。こうやって営業マインドからの転換が進んでいった。

もともと優秀な社員の集まりだ。法人事業でもまれた行動力もある。試行錯誤を繰り返すうちに、社会課題解決につながる新規事業のアイデアが生まれ始めた。ただ手応えを感じてからがまた一苦労だ。

２週間に１度開かれていたＤＸ本部主催の「新規事業審査会」に企画の是非がはかられる。河西の眼鏡にかなわなければ、別の事業を考えるか、練り直して再度提出する必要がある。最後の関門は統括役員の今井だ。「最終的に認めてもらえるようになるまで、何度もダメ出しを食らいました」と前記の社員は当時の苦労を思い出す。

「3年間は売り上げゼロで構わない」

河西は「最初の3年間は売り上げゼロで構わない」とDX本部の全員に伝えたという。とはいえ精鋭を集めた部隊だ。1年が過ぎるころには、社内から「あれだけ優秀な人材を集めて何をやっているんだ」といった声も聞こえ始めた。肩身の狭い思いを感じながら、河西は将来にかけた。

実際に4年目から共創型の新規事業で売り上げが生まれ始める。すでに終了したものを含めれば、2023年3月時点で25の新規事業が誕生している。

現状では、ヘルスケア、社会インフラ、建設・不動産、保険、小売・流通などのカテゴリーまで対象は広がった。建設・不動産や小売・流通といった業界は深刻な人手不足に直面する。社会課題解決に直結する事業が多い。

具体例を挙げるなら、ヘルスケアテクノロジーズが運営するヘルスケアアプリの「HELPO」やスマートオフィスの実現を支援するアプリの「Work Office+」、AI需要予測の「サキミル」、資本・業務提携するWOTA（ウォータ）を手がける自律分散型の水循環システムなどのサービス、あるいはリードインクスによるフィンテックを活用したデジタル保険商品の開発・販売支援などになる。直近では2023年12月に、日建

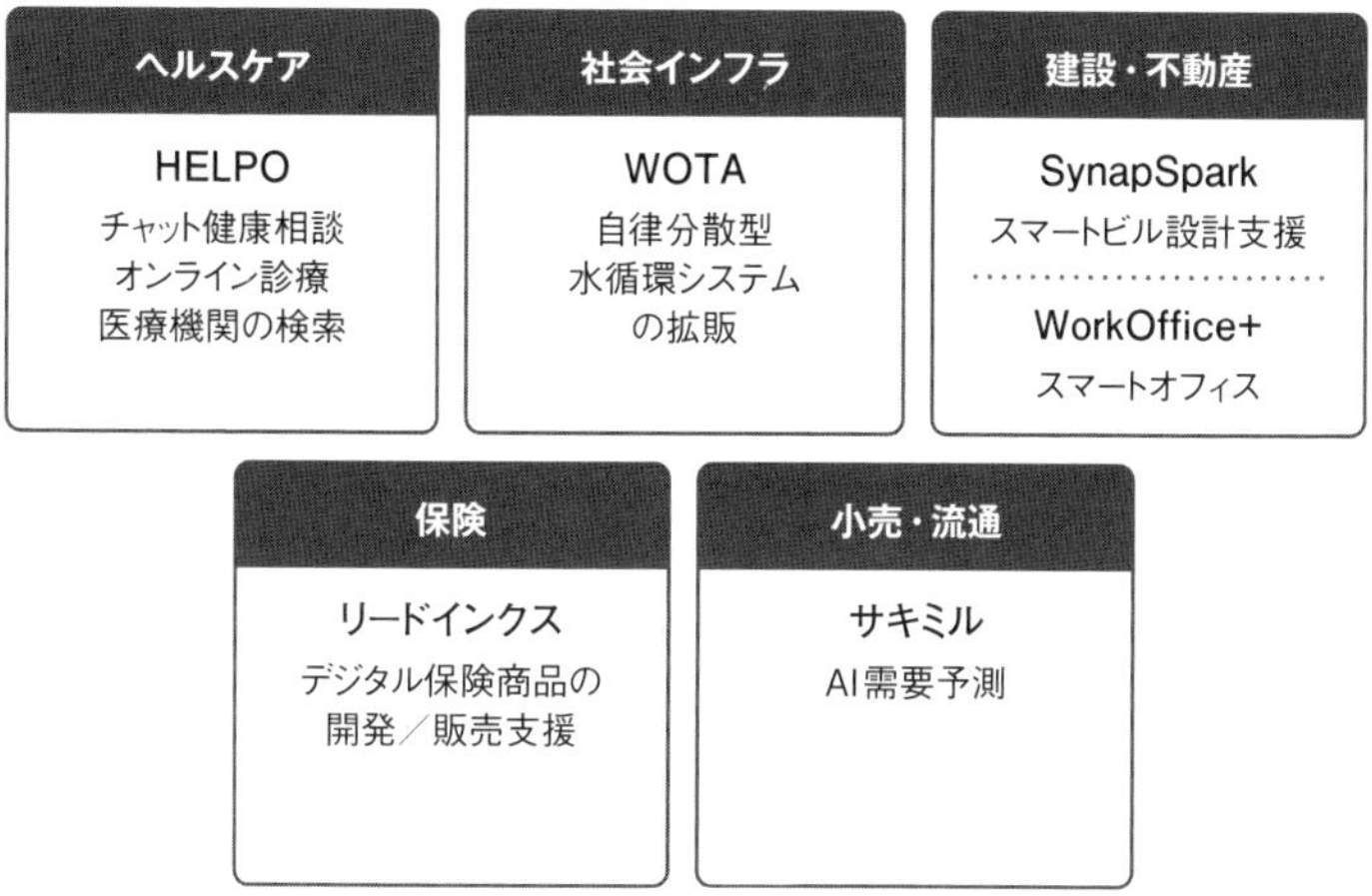

※ HELPO、WorkOffice+、サキミルはサービス名、WOTAは業務・資本提携した、SynapSparkとリードインクスは新規設立した企業名

社会課題解決に向け25の新規事業を創出。図は代表的なもの
出所：ソフトバンク

設計と合弁で上流からスマートビルの設計支援を推進し、そのためのアプリや「ビルOS」と呼ぶ仕組みを提供するSynapSpark（シナプスパーク）を設立した。

本部内でビジネスプランを練り上げ、いけるとなったら共創相手との合弁を含め、独立採算の別会社を設立することもある。ヘルスケアテクノロジーズ、リードインクス、SynapSparkは好例だ。これらの企業の社長にはDX本部で汗をかいた部長クラスの人材を抜てきすることが多い。ヘルスケアテクノロジーズ社長兼CEOの大石怜史、住友生命の事例で登場したリードインクスの柏岡、ＳｙｎａｐＳｐａｒｋ社長の沼田周の3人はいずれもそうだ。人材を含めたインキュベーション機能を持つ社内スタートアップの集合体だとＤＸ本部を理解することもできるだろう。

事業化が軌道に乗ったこともあり、今ではＤＸ本部の人員は、関連企業の社員を含めて450人ほどになった。顔ぶれは多様性に富む。当初は営業出身者が大半だったが、今ではグループ企業から集まったスタッフ、異業種からの中途採用組が増え、事業開発に携わるＤＸ事業プロデューサー、ＵＩ／ＵＸデザイナーやアプリケーションアーキテクトを含めた各種のエンジニア、さらにはいくつもの子会社の社員が新規事業の拡大に取り組む。中途採用組は土地勘のない事業に挑むうえで貴重な戦力となっている。

ＤＸ本部でゲームチェンジ

宮川は2021年に開かれた法人事業の説明会で「通信事業から企業のＤＸ、これから先は社会のＤＸ、デジタルトランスフォーメーションのところです。ゲームチェンジをしていこうというのが私どもの基本的な大戦略です」と語った。ＤＸ本部はゲームチェンジの先兵にほかならない。

今井も「DX本部の取り組みは、現在掲げているBeyond Carrier、Beyond Japan、社会課題解決を体現したものです」と説明する。450人ほどの部隊はさらに大きくなっていきそうだ。

DX本部をはじめとする各部門の取り組みから生まれた社会課題解決の具体例は次章で詳述する。

第2章

次の本丸は社会課題解決

「エンタープライズの成長戦略としまして、社会課題の解決につながる新事業の創出を掲げております」

エンタープライズとは法人事業のことだ。2023年度第2四半期の決算説明会で改めて宮川は法人事業の成長に社会課題解決が不可欠だと強調した。

売り上げや利益の拡大、あるいは生産性向上によるコスト削減などを目的とする企業のDX支援に加え、社会課題解決を次の市場ととらえる。社会課題解決は、ソフトバンクが掲げる「Beyond Carrier」のけん引車的存在と言っていい。

ソフトバンクの考える社会課題とはどのようなものか。例えば2021年6月の法人事業説明会で示されたのは、自然災害、労働力人口減少、行政の国内医療費負担、交通渋滞、インフラ老朽化、交通事故、食品廃棄、出産による退職、サイバー犯罪などだった。

第1部で触れた藤長の全社朝礼の資料には「そうだ、未来に行こう。」というやはり印象徴的な1枚のスライドがある。直前のスライドで示されるのは、高齢化、人手不足、生産性の停滞、医療費増加、地方過疎化、自然災害など日本が抱える社会課題だ。

少子高齢化が進み、資源を海外からの輸入に頼る日本は課題先進国といわれる。この課題を解決する事業は、「はじめに」で引用した宮川の「日本をDX先進国にして、日本をもっと元気にして、国力を上げるプロジェクト」ととらえてもいいのかもしれない。

藤長は「日本は課題大国です。私たちが社会基盤をつくって、そこにデータが乗るようになり、これを分析することでより良い生活ができるような仕組みをつくっていきたいんです」と明言する。

以降ではDX本部をはじめとする各部門の試行錯誤から生まれてきた社会課題解決をテーマとするビジネスの実例を紹介する。

防災や都市開発の社会課題も解決

多くの社会課題は人口減少に起因するものであり、大きな経済的損失をもたらしている。なかでも労働力人口の減少は特に地方で深刻だ。労働力人口が減れば自治体の税収が減り、自治体職員の数も減る。その結果、住民が享受できる公共サービスの質が低下し、さらな

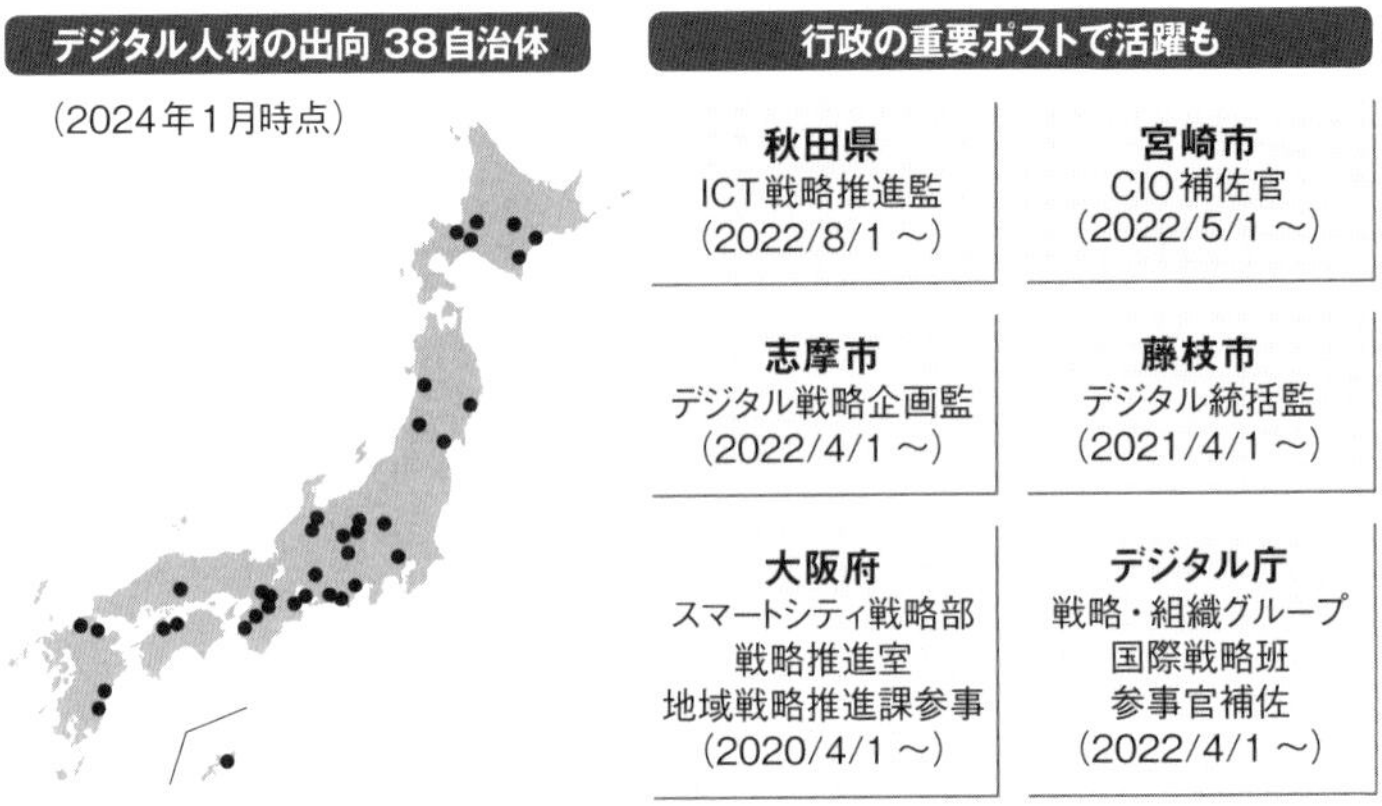

デジタル人材の出向 38自治体	行政の重要ポストで活躍も	
（2024年1月時点）	**秋田県** ICT戦略推進監 （2022/8/1 〜）	**宮崎市** CIO補佐官 （2022/5/1 〜）
	志摩市 デジタル戦略企画監 （2022/4/1 〜）	**藤枝市** デジタル統括監 （2021/4/1 〜）
	大阪府 スマートシティ戦略部 戦略推進室 地域戦略推進課参事 （2020/4/1 〜）	**デジタル庁** 戦略・組織グループ 国際戦略班 参事官補佐 （2022/4/1 〜）

ソフトバンク社員の地方自治体での主な活動状況
出所：ソフトバンク

る人口減を招く負のスパイラルに陥る恐れがある。地方の活性化は社会課題の解決に直結する。

ソフトバンクは自治体支援のＤＸ事業に積極的に取り組む。分かってはいても進まない理由にＤＸを引っ張る人材の不足がある。ソフトバンクは２０２４年１月時点で、ベテラン社員を中心としたデジタル人材を38の自治体へ出向させている。秋田県のＩＣＴ戦略推進監、宮崎市のＣＩＯ補佐官、志摩市（三重県）のデジタル戦略企画監、藤枝市（静岡県）のデジタル統括監などＤＸのカギとなる役職で全国に散らばる。

人を出すだけではない。活性化につながる様々なプロジェクトが実現し始めた。

好例が日向市（宮崎県）だ。宮崎県の北

ソリューションエンジニアリング本部の富山健太郎部長
出所：ソフトバンク

東部に位置する人口約5万8000人（2023年12月時点）ほどのこの自治体は2023年2月に、ソフトバンクと連携して「日向市DX推進計画」に取り組んでいくことなどを目的とした包括連携協定を結んだ。

きっかけは2022年6月、法人事業のエンジニア部隊で部長を務める、同市出身の富山健太郎が市長である十屋幸平を単独で訪れ、DX支援に関して提案したことだ。富山の提案は十屋の心をつかみ、日向市のDXが進み始める。

「DX実現を目指し、市独自データを活用した生成AI日向市モデルとは」と題したSoftBank World 2023のセッションに登壇した十屋はDXの目標として「より質の高い市民サービスの提供、市役所の業務効率化」の2点を挙げた。ただDXを進めようにも日向市には人材が少ない。専門家であるデジタル人材だけでなく、職員のデジタルスキルも高いとは言えなかった。

この問題をソフトバンクとの連携で突破する。実際に同社は2023年4月から3年間の任期でCIO（最高情報統括責任者）補佐官となる常駐職員を出向させている。スキルアップの研修プログラムも提供する。

生成AI日向市モデルの実現を支援

日向市DX推進計画を策定したうえで、2023年9月には生成AIの日向市モデルを構築するための契約を結んだ。日向市に限らないが、人口減少に伴い、地方では自治体職員自体の数が減少している。特に深刻なのは福祉や土木、建築などの専門職に就く人材だ。「人手不足解消のために、生成AIをはじめとしたデジタル技術の活用が必要です。例えば、条例や福利厚生についての庁内での問い合わせに、生成AIで対応できるようにしていきたいと考えています」と同じセッションで十屋は話す。

議会対応にも生成AIの活用を考えている。「答弁書や資料、職員の文書の作成などに生成ＡＩを使いたいと思っています。私のあいさつ文も生成ＡＩで作れるのではないかと期待しています。ＬＩＮＥを使った（住民との）双方向サービスを計画していますが、将来的には生成ＡＩを使いたいと考えています」と十屋は重ねる。

２０２３年12月からは生成ＡＩのテスト運用を始めた。パートナーである開発会社を含めたプロジェクトチームを組成し、安全性を確保するためソフトバンクの専用回線でAzure OpenAI Serviceを利用する。まずは市役所内部の庁内業務に使い、次のステップとして市民サービスへ適用する計画だ。

日向市では全職員の生成ＡＩ活用と1日当たり20分の業務短縮を将来の目標に掲げる。効果は約20人の職員の業務量に相当し、人件費に換算すると年間1億８０００万円相当になる。

日向市とソフトバンクとの関係が生まれたきっかけでもある富山は現在、同市の「ＤＸ推進共創アドバイザー」を務める。週に1度、オンライン会議でＤＸにかかわる案件の進捗を共有し、アドバイスしたり、最新の技術動向や他の自治体の事例を紹介したりする。ＤＸ関連の人材不足に悩む地方自治体にとって人の提供が持つ意味は大きい。生成ＡＩの導入もソフトバンクからの人材協力がなければこの短期間で実現するのは難しかっただろう。

実は訪問というより「単独での押しかけ」に近い形で始まったという関係は双方の思いを軸に続く。

社会課題解決を重点事業に掲げる企業の幹部は「ソフトバンクは協定や出向などを通じて自治体と積極的にビジネスを展開している。あそこまで多くの人を出している企業はほかに1、2社あるかないかではないか」と語る。

長崎の街づくりをパートナーとして支援

地方都市の衰退に待ったをかける手法は自治体への直接の支援に限らない。民間企業の街づくりを支援するケースもある。

人口減少が進む長崎県で、県や市とも協力しながらジャパネットグループが開発を進める「長崎スタジアムシティ」がそうだ。ICTで支援するだけでなく中核施設であるサッカースタジアムのネーミングライツを購入した。名称は「PEACE STADIUM Connected by SoftBank」だ。

総事業費が約900億円という同プロジェクトを引っ張るのは、地元長崎県で誕生し、

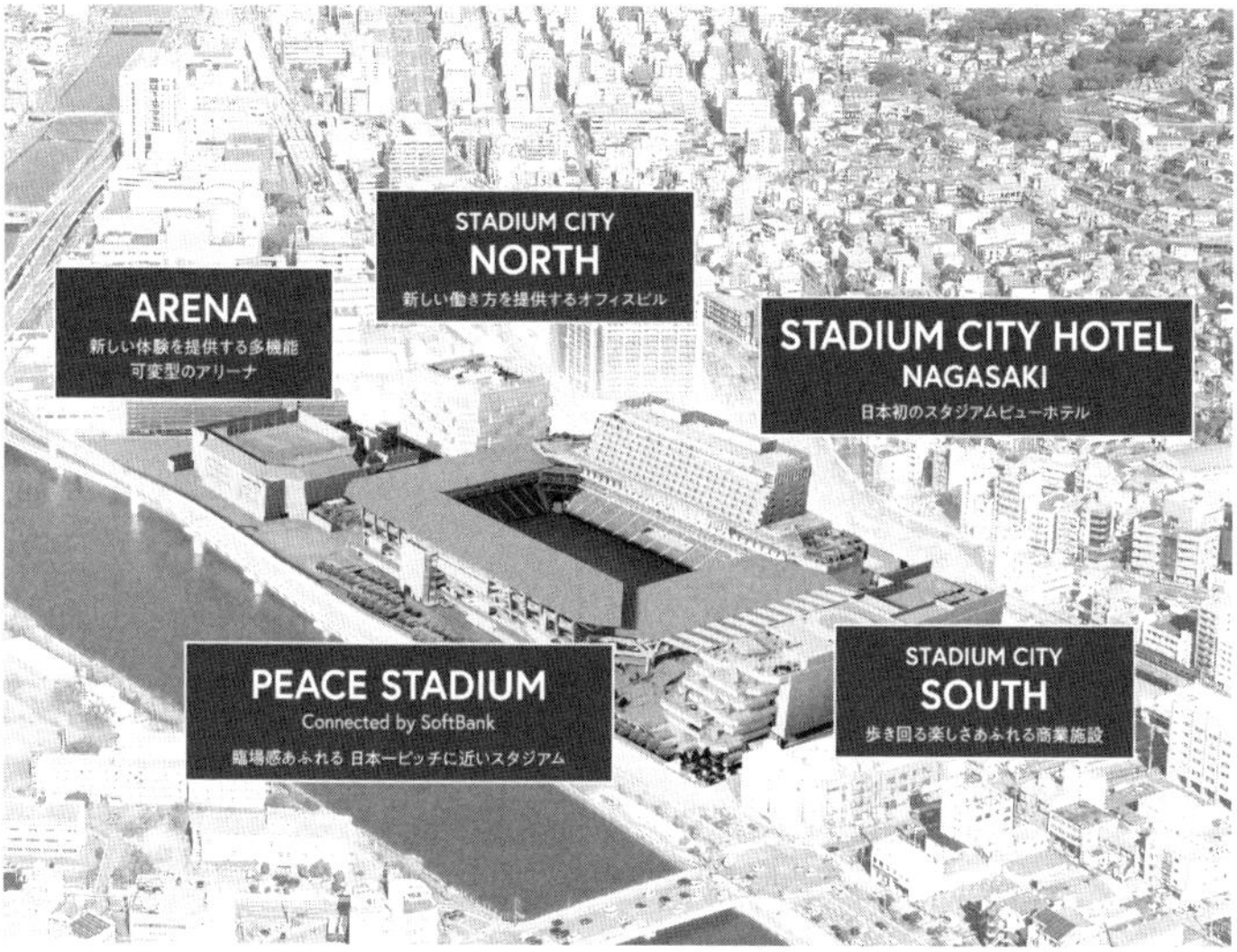

施工段階のためデザイン含め変更の可能性があります

長崎スタジアムシティのイメージ
出所：ジャパネットホールディングス

テレビショッピングなどの通販事業で成長してきたジャパネットグループ。ジャパネットホールディングス社長兼CEOの高田旭人によれば、坂の多い長崎で、公募で売り出された約7・5ヘクタールの平地の購入に成功したことがプロジェクトのきっかけだったという。

2022年12月19日に開かれた「長崎スタジアムシティプロジェクトに関するICTパートナーシップ締結に伴う共同記者発表」で、髙田はこう語った。

「不名誉なことですが、数年にわたって長崎市は日本で一番人口が減っている市区町村になります。行政の課題だと思われがちですが、民間企業として本気で向き合おうというところから取り組んでいます」

民間企業が手がける以上、収益が上がらなければ持続できない。髙田は「持続可能なものとしてプロジェクトを成功させた時に、全国の地元を愛する企業が自分たちもやってみようということになって、全国の地域が盛り上がることを目指しています」と言う。

長崎スタジアムシティは、約2万席のサッカースタジアム、バスケットボールの試合やコンサートなどのイベントが開催可能な約6000席のアリーナ、12階建てのオフィスビル、14階建てのホテル、7階建ての商業棟で構成する。Jリーグの V・ファーレン長崎やBリーグの長崎ヴェルカがホーム施設として使うこともあり、年間の延べ来場者数約850万人、約963億円の経済波及効果を見込む。

高速ネットワーク、IoT、マーケティングで魅力を増加

周囲の環境に配慮しながら集客力を高め、収支を改善させる点でもいくつも工夫を凝らした。その一つがICTの活用だ。

スタジアムでの活用が分かりやすい。スポーツ観戦の楽しみを増やすために専用アプリ

を用意すること自体は珍しくないが、長崎スタジアムシティでは、認証用のチップが入ったユニホームを着ていけば、年間チケット購入者はそのまま入場できるようになる。スタジアム内部の飲食店は完全キャッシュレスだ。

その他の施設でも独自の試みがある。ジャパネットらしくホテルの部屋に置いたテレビや加湿器などの家電、ベッド、マットレスなどの寝具、浴室、トイレのリフォームに至るまでその場で購入できるようにする。

髙田は記者発表会で「ソフトバンクのネットワーク環境と技術があってのこと」と何度も繰り返した。ソフトバンクはＩＣＴでこれらの仕掛けを支援する。

５Ｇや高速Ｗｉ-Ｆｉなどによるネットワークの構築はもちろん、カメラやセンサーなどを設置しデータを収集する。集められたデータを基にオフィス棟の会議室予約や共用エリアの混雑状況の可視化・分析など、デジタルを活用して施設運営をサポートする。

長崎スタジアムシティでは集客も重要だ。どれだけ多くの人に来てもらい、さらにはリピーターになってもらえるか――。ソフトバンクがグループで保有するビッグデータの分析を基に、目的に応じた棟ごとのＫＰＩ策定からＣＲＭ活用、広告施策といったマーケティング領域での施策の検討段階から両社で伴走する。

長崎スタジアムシティに限らず、長崎の地域創生への貢献も意識し、施設内に入居することが決まっている長崎大学大学院（情報データ科学分野）の学生との交流を通じたデジタル人材の育成、ＭａａＳ（モビリティー・アズ・ア・サービス）を用いた近隣の観光地との相互送客なども視野に入れる。同じ会見で宮川は「長崎のモデルが日本全国に広がることを夢見て全力投球したいと考えています」と力説した。

届いた地元出身者の熱意

長崎スタジアムシティにソフトバンクが参加するまでの過程に、地元長崎市出身の法人事業のキーパーソンがいた。「帰郷するたびに、長崎の人口減少が気になっていた」という法人第三営業本部プロジェクト推進室室長の大曲剛だ。

きっかけは２０１９年、ＤＸ本部に在籍していた大曲が社業のかたわらで通っていたビジネススクールでのグループワークのテーマに長崎スタジアムシティを取り上げたこと。自らがリーダーとなりまとめたグループワークでの提案を、ジャパネットグループの役員にプレゼンする機会を得たことで、歯車が回り出す。

同じ年の４月に大曲がジャパネットを担当する法人第三営業本部に異動し、以前からの担当者とチームで提案することとなった。複数社によるコンペが続いたが、最終的に長年

法人第三営業本部プロジェクト推進室の大曲剛室長
出所：ソフトバンク

通って提案してきたソフトバンク案が選ばれた。

受注までの道のりは簡単なものではない。全国で注目を集めていた大規模プロジェクトだったこともあり、何としても勝ち抜こうと大曲は社内も巻き込んだ。奮闘する大曲の姿を見て積極的に巻き込まれたとでもいうべき人物がいる。もう一人のキーパーソンとも言えそうなのが、2024年4月に法人統括に就いた専務執行役員の桜井勇人だ。

当初は第三営業本部の本部長として、その後は同本部の担当役員として長崎スタジアムシティのプロジェクトにかかわった桜井は、「地域創生は日本に

桜井勇人専務執行役員法人統括
写真：陶山勉

とって必要不可欠なもの。たとえ短期間に売り上げが上がらなくても、このプロジェクトは長期的に取り組む価値がある」との判断から、大曲たちが本案件に注力できる環境を整えていったという。九州ではないが桜井も地方出身であり、地域創生には思うところがあった。

長期間にわたる大規模案件だったため、通常とは異なる規模の人、モノ、カネの投資が必要となる局面があった。コンペも終盤近くの時期には、社内からも強く不安視される規模の投資が必要とされる出来事があったのだが、桜井が法人事業の枠を超え、全社でプロジェクトを取りに行こうという合意作りに汗をかいて、社長の宮川や社内の各方面の幹部に働きかけた結果、最終的に認められることになった。

最終決定まで4回のプレゼンがあったが、3度目には桜井、4度目には統括の今井が同席するなかで、大曲は自らの思うところを語った。プレゼンの始まりは必ず「私はこの街で生まれ育ちました」の言葉だったという。

「長崎出身で、長崎のために貢献したい」という大曲の熱意は実り、プロジェクトパートナーとなったソフトバンクからは現在、長崎スタジアムシティプロジェクトに50人ほどの社員がかかわる。

地域創生のあり方にどんな一石を投じるのか。長崎スタジアムシティは2024年10月14日にグランドオープンする。

上流からスマートビルを攻める

気候変動を原因とする自然災害が広がるなか、大都市が消費する電力の削減も気候変動を含む社会課題解決への有効な一手だ。スマートシティー、スマートビルの実現を通じ、

左から、「SynapSpark」の設立発表記者会見で写真撮影に応じる日建設計の大松敦社長、SynapSparkの沼田周社長、ソフトバンクの宮川潤一社長兼CEO

出所：ソフトバンク

より快適な都市環境の実現と電力消費削減の両立を目指す。最近では、竹芝の本社でスマートビル化、地区のスマートシティー化を推進するなかでの教訓が一歩進んだ社会課題解決ビジネスにつながった。

教訓とは、宮川によれば「オートノマスビルディングの実現というものには設計の段階から入り込むことが不可欠である」ということだ。

この発言は2023年10月、建築設計で国内最大手の日建設計とソフトバンクの2社が合弁会社「SynapSpark」の設立を発表した、東京・九段での記者会見でのもの。SynapSparkこそが、快適な都市環境の実現を目指す一歩進んだ社会課題解決ビジネスの担い手だ。

宮川の言うオートノマスビルディングは「自律的な」を意味するオートノマスをビルディングに付けたソフトバンクの造語だ。AIによる自律的な制御や最適化を可能にした、いわば進化版のスマートビルを指す。

宮川は「要は人の指示がなくてもビルが自ら考えて行動できるビル」と話す。具体的には、混雑に合わせてロボットの台数を増やしたり減らしたりするほか、ピンポイントでの空調制御、ビル内外の全ての設備の協調によるエネルギー消費の最適化、災害時の最適な避難経路の配信などが可能なビルだ。

記者会見で日建設計と合弁会社を設立した理由を尋ねられた宮川は「日本で一番の設計会社と組みたかった」と答えた。日建設計には、一級建築士の中でも特に設備に通じた設備設計一級建築士が数百人単位で在籍する。同社の力はオートノマスビルディング実現に大きな意味を持つ。

ソフトバンクの法人事業部門、さらにはDX本部の出身でSynapSparkの初代社長に就任した沼田によれば同社の役割は2つだという。

「一つはスマートビルの設計支援であり、もう一つはオートノマスビルディングを実現させるためのアプリケーションやデータ基盤、ビルOSを提供することです」（沼田）。ここでいうビルOSとは、ビル内で発生する各種のデータを所定のルールに沿って記録、保存し、複数のアプリケーションで利用できるようにする基盤を指す。

SynapSparkにはソフトバンクが51％、日建設計が49％を出資し、資本金2億円でスタートした。ソフトバンクからネットワーク、クラウド、AI、さらにはアプリケーション実装などの経験を持つITエンジニア、日建設計からは設備設計のスキルを持った人材を集めた。スマートビルには不可欠な最適な設備設計を実現するための設備設計一級建築士も確保している。50人規模でスタートし、10年後に最低100億円の売り上げを目指す。

すでに開発中の東京都心のある新築ビルでは、設計段階から同社のメンバーが参加。個別の設備で別々ではなく共通のプロトコル制御によって集約することで、配線を従来のビルの約半分に抑えたという。竣工後には消費電力で15％削減、ビル運営の工数で30％削減を目指す。

対象は新築ビルだけではない。東急不動産が運営する渋谷ソラスタと渋谷フクラスの2棟のスマートビル化支援に設計段階からかかわることが決まっている。

水インフラの常識を覆す離島での挑戦

実は深刻であるにもかかわらずあまり意識されていない社会課題が存在する。「水」にかかわる問題がそうだ。

水が豊かだと言われる日本に住んでいると意識することはほとんどないが、世界では水は貴重な資源だ。世界気象機関（WMO）によれば、2020年の時点で20億人以上が安全な飲料水を利用できない国に住んでいる。

日本の水もリスクを抱える。人口が減少し水の利用量が減っていくなか、過疎自治体を中心に水道事業は慢性の赤字となっており、毎年数兆円の税金が投入されている。インフラにしわ寄せが生じており、厚生労働省によれば、2018年の時点で40年以上使用されている老朽化した水道管は全体の20%を超え、年々増加している。

自治体も国も問題は把握しているが、明確な対策を打ち出せないのが現状だ。ソフトバンクは、資本業務提携した日本のスタートアップであるWOTAと共にこの問題に挑む。

WOTAは独自の水処理自律制御技術で開発した小型の「小規模分散型水循環システム」を提供する。使った水の98%以上を再生することが可能だ。同社の提供する「WOTA BOX」は、大型の旅行ケース程度の大きさでチューブと電源コンセントをつなげば利用できるポータブル水再生システムだ。テントなどの拡張ユニットを組み合わせれば簡易シャワーとしても利用できる。

老朽化する水インフラ問題だけでなく、水循環システムは災害時の水供給、従来は水インフラシステムの構築が難しかった離島などでも有効だ。

2024年元日に起こった能登半島地震によって、1月10日を過ぎても被害の大きかった地域では断水が続いた。ソフトバンクはWOTAやパートナーと共に石川県の珠洲市や七尾市から、WOTA BOXや水循環型手洗いスタンドの「WOSH」の設置を開始した。WOTA BOXはテントと組み合わせてシャワーとして使う。通常なら2人分の水量で100人がシャワーを利用できる。指定避難所や医療施設など能登半島全域に約300台を設置した。可搬型という特長を生かし、水道の復旧状況などに合わせて配置場所を変えながら、WOTA BOXとWOSHによる支援を継続した。

WOTAは災害時だけでなく、日常の水問題にも着手している。住宅から出る全生活排水を再生循環する住宅向け小規模分散型水循環システムの開発を進めており、島しょ地域や過疎地での試みも始まっている。2022年10月、ソフトバンクとWOTAは、ガス事業などを手がける北良と東京都の離島である利島村との4者間で「新たな水供給システムの構築に向けてオフグリッド化された住環境の検証に係る合意書」を締結した。

利島村に設置しているオフグリッド型居住モジュール
出所：ソフトバンク

大島と新島の間に位置する利島村は川や大型の貯水施設がなく水源に乏しいうえ、海水淡水化装置の故障などによる断水のリスクを抱える。給水原価も高い。4者は、島内にWOTAの水循環システムをつないだ電力の自律供給可能な住居を設置し、一定期間にわたって人が暮らすことで、実用に適した仕様や運用のあり方などを探る考えだ。2023年6月から実証実験はスタートしており、日常生活を営める安定的な水の供給を実現している。

WOTAの水循環システムは、利用が拡大するほど、各所でのデータの収集・蓄積・分析が進む。水処理効率は継続してアップデートする。

水はインフラのラストフロンティア

ソフトバンクが法人事業でWOTAにかかわるこ

DX本部次世代インフラ事業推進部の上野明理課長
出所：ソフトバンク

とになるまでには何人かのキーパーソンがいた。現在も同社にかかわり続けている人物にDX本部次世代インフラ事業推進部課長の上野明理がいる。

DX本部で通信の次の柱となる事業を探すなかで「社会課題を解決し、かつ規模の大きなビジネスはインフラ関連しかない」と考えた上野たちが目を付けたのが水だった。ソフトバンクはすでに通信事業に加え、子会社のSBパワーなどと電気小売事業を手がける。上下水道の老朽化などの問題が指摘され始めた水は喫緊に解決すべき社会課題と思えたという。

こんな意識を持つなかで出合ったのが、東京大学発のスタートアップ企業のWOTAだった。同社の掲げるビジョンと技術力に可能性を感じ、水インフラ事業への参入を目指して、WOTAとの資本・業務提携に動いた。社会的意義は理解されたものの、当初は未経験の領域だということで社内の説得に時間がかかったが、事業の社会的意義を何度も経営層に伝え、了解を得た。

2040年には地球の淡水が40％以上不足する可能性がある。上野たちは事業としてWOTAを軌道に乗せるだけでなく、世界の水問題解決 に向け共に奮闘している。

アプリでヘルスケアをアップデート

高齢化とともに増大する社会保障費も避けることができない社会課題だ。2020年時点で、国民医療費の公費負担額総額は16兆5000億円弱に達する。医療従事者の過重労働問題も話題に上る。

ソフトバンクは、オンラインを最大限に活用して医療やヘルスケアを効率化し、ビジネスとしてこの課題の解決に当たろうとしている。この領域で成果を上げげつつあるのが、子会社であるヘルスケアテクノロジーズであり、同社によるスマホアプリの「HELPO」だ。

ヘルスケアテクノロジーズの大石怜史社長兼CEO
出所：ソフトバンク

中途入社でDX本部に配属された経歴を持つヘルスケアテクノロジーズ社長兼CEOの大石は「社会課題の解決」というDX本部のテーマに対して「課題の大きさを考えれば、ヘルスケア・医療こそが真っ向勝負すべき領域」と感じていた。ソフトバンクとして未経験の事業を具現化するため、何度となく大義を含めて経営会議で説明し、1年ほどかけて了解を得た。

サービス開始当時のHELPOは、チャット形式での健康相談に対応したアプリだったが、同社と提携するクリニックの医師によるオンライン診療や服薬指導まで提供できるようになった。医療機関の検索も可能だ。心身の不調を感じたら、わざわざ病院に出向かなくてもHELPOにチャットで問い合わせればいい。健康相談チャットには医師、看護師、薬剤師といった専門チームが24時間365日体制で対応し、30秒程度でなんらかの反応が返ってくる。やり取りを重ね、必要に応じて提携している医療機関とのオンライン診療につなぐ。未病の領域の問い合わせであれば、運動促進やサプリ、漢方などを勧めることもある。

HELPOのトップ画面とチャットのイメージ
※2024年2月時点で提供中のアプリ画像です
出所：ソフトバンク

大石は「日本では皆保険が成り立っているように見えて成り立っていません。医療費のうちの16兆円ほどを国が補填しています。負債を次の世代に回さないためにも、病気にならない、病気になっても早めに対処し重篤化しないようにすることは非常に重要だと考えています」と話す。

個人でも利用できるが、

ＨＥＬＰＯが狙うのは企業が従業員向けに提供する福利厚生や自治体が住民に提供する健康関連サービスでの利用だ。オンラインなので利用する場所を選ばないのもメリットだ。海外駐在員とその家族に対するメンタルヘルスのサポートなどの導入も検討中だ。すでに複数の企業にとどまらず、自治体、健康保険組合がＨＥＬＰＯを導入した。着々と実績は積み上がりつつある。

ソフトバンクの社用スマホにもＨＥＬＰＯはインストール済みだ。同社社員は「病院に行くほどではないが体調が気になる場合に気軽に使えます。市販薬やサプリを案内された時は、ＨＥＬＰＯで購入まで済むので本当に便利です」と話す。

法人事業説明会で藤長は「医師や患者のみなさんの課題をＤＸで解決するのがＨＥＬＰＯです」と言い切った。

オンラインを通じたヘルスケアへの関心は高まる一方だ。ウェルビーイングの領域の新サービス創出を目的に、２０２３年10月、１００％子会社だったヘルスケアテクノロジーズと住友生命が資本・業務提携したのは第１部で触れた通りだ。

中堅・中小企業のＤＸこそ社会課題解決

日本の労働生産性の低さも重大な社会課題としてとらえることができる。ソフトバンクが、熱い視線を注ぐのが中堅・中小企業のＤＸだ。

２０２３年３月期の決算説明会で、２０２６年３月期までの中期経営計画の法人事業に触れるなかで、新たな成長戦略として宮川は「中堅・中小企業の市場開拓を本格化させます」と明言した。

なぜ中堅・中小企業なのか。日本企業の99％以上を占めるのは中堅・中小企業だ。その数は四捨五入すれば４００万社ともいわれる。大手のＤＸが進んだだけで日本全体の生産性を向上させるのは難しい。

今井も「中堅・中小企業でＤＸが必要だと考えているのは全体の30％強しかありません。人材がいない、担当者がいないといったことが理由ですが、このままだと日本の成長が止まります。ほかの国は中堅・中小企業もＤＸの意識が高いんです。我々が手伝わなければなりません。社会使命でもあります」と語る。

デジタルマーケティング、セキュリティー、間接業務の効率化を含めたワークスタイル変革などＤＸで生産性を向上できるところはいくらでもある。ただし中堅・中小企業への

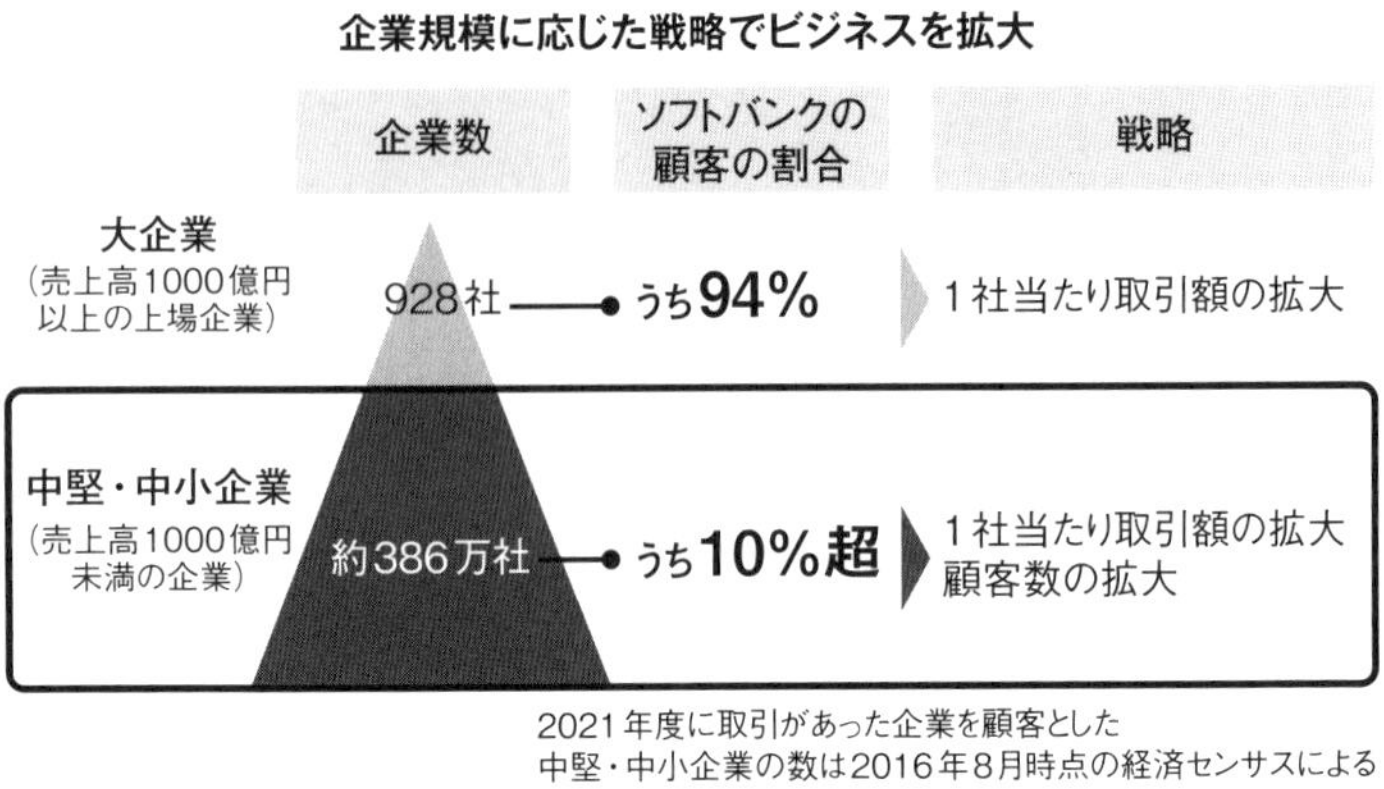

企業規模に応じた戦略でビジネスを拡大

	企業数	ソフトバンクの顧客の割合	戦略
大企業 （売上高1000億円以上の上場企業）	928社 →	うち**94%**	1社当たり取引額の拡大
中堅・中小企業 （売上高1000億円未満の企業）	約386万社 →	うち**10%超**	1社当たり取引額の拡大 顧客数の拡大

2021年度に取引があった企業を顧客とした
中堅・中小企業の数は2016年8月時点の経済センサスによる

中堅・中小企業のDX支援ビジネスを強化

ソフトバンクの資料を基に作成

提案は大企業を中心とした従来の手法とは形が変わりそうだ。対象となる企業の数は多く、大手に比べれば1社当たりの投資額は少ない。コストを考えれば、精鋭の営業部隊がじかに話を聞いて顧客のニーズを探る法人事業のスタイルとは相性が悪い。同社もこれは理解している。

重視するのが多種多様なパートナー企業の力だ。従来型の代理店販売に加え、都市銀行、地方銀行、メーカー、広告会社などソフトバンクの大手顧客企業との新たな協業の形を探る。多くの中堅・中小企業と関係を持つ、自動車や建設、保険、流通などの業界団体との関係も強化する。

デジタルも活用する。中堅・中小企業について「取引があるのは40万社程度です。4社に1社の計算で100万社くらいまで増やしたいと考えています」という藤長は「人間による営業には限界がありますから、デジタルセールスを伸ばします」とも話す。複数のSaaSを使いながら、Webや電話、メールによって非対面で営業する部隊の強化を進める。

LINEヤフーなどのグループ会社との協業も有効だ。同社が注目しているのがBtoB向けのECや通販を手がける、LINEヤフーの子会社であるアスクルだ。登録ID数は約500万。すでに相当数の中堅・中小企業とのタッチポイントを持つ。

アスクルは市場攻略を見据えて、2022年10月にはソフトバンクが協力する形で新事業の「ビズらく」を開始した。SaaSやネットワーク商品、サービスを扱う新たなWebサービスではあるが、デジタル化に関する無料の相談サービスや、専用タブレットとセットになった1社当たり月額2万2000~2万7500円（税込み）のIT部門代行サービスを提供する。一方で顧客が選択する際のハードルを下げるため、提供する製品・サービスの数はスタート時点で32種類に絞り込んだ。

日本の中堅・中小企業のDX、さかのぼればIT化は積年の課題だ。見方を変えればDX市場のフロンティアともいえるが、攻略は簡単ではない。今井が「社会使命」とまで言い切るソフトバンクの覚悟は、この市場をどう変えるのか注目したい。

第3章

生成AIで日本を変える

AIはソフトバンクが過去10年以上にわたって前のめりでかかわってきた領域だ。1990年代後半から2000年代前半のインターネット、2000年代後半から2010年代前半のモバイルに続く大きな波だと位置付ける。企業、さらには社会課題の解決に不可欠な技術として、生成AIにも全力で取り組む。

「はじめに」で孫の特別講演のさわりを紹介したが、SoftBank World 2023は生成AIの決起集会さながらの様相を見せた。孫に続く基調講演では宮川が、AIを「第4次産業革命の主役」としたうえでこう話した。

「第4次産業革命は今始まったばかりで、まだほとんどの人はAIが主役だと理解できていません。ここに大きなチャンスがあります。主役になるのは生成AIです。生成AIを使うと、これまでとは比較にならないスピードで世の中が進化するでしょう。数カ月単位で世界が変わっていくはずです。第1次産業革命から第3次産業革命までがもたらした経済効果とは、比較にならない影響があると思っています」

さらに翌日の基調講演では今井が畳みかけるようにこう企業に呼びかける。

「数年後の生成ＡＩは想像を絶するほどの進化をとげます。一度使って、『この程度のものか』と感じて使うのをやめている方も多いでしょうが、日本企業にとっては今が選択の時です。使うか使わないかで、企業が成長するか衰退するかの差が出ます。私が一番お伝えしたいのはこの点です」

トップが立て続けに講演するだけではない。生成ＡＩに関してソフトバンク全社で臨戦態勢ともいえる状態に突入している。

全社員が生成ＡＩを利用

２０２３年２月ころから一部の部署で生成ＡＩの業務利用を開始し、５月には全社での活用をスタートさせた。営業やカスタマーサポート、ＩＴ、人事・総務などの全ての部署を対象に、約２万人の従業員にソフトバンク版ＡＩチャット「ＳｍａｒｔＡＩ‐Ｃｈａｔ」を導入。各部署で利用法を検証中だ。ＩＴヘルプデスクに関しては、過去の膨大なＱ＆Ａデータを学習した生成ＡＩサービスを利用している。生成ＡＩが優れているのは、データ

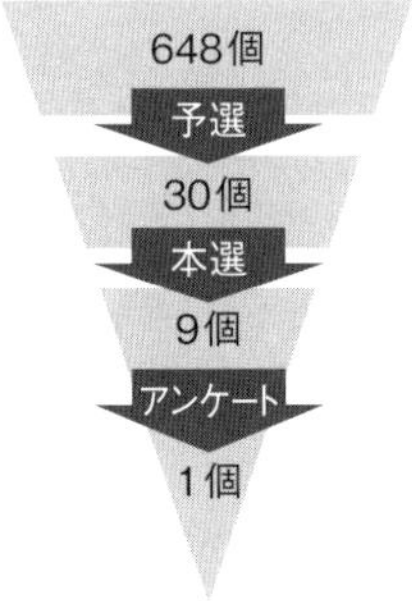

生成AIによる採点結果画面（例）

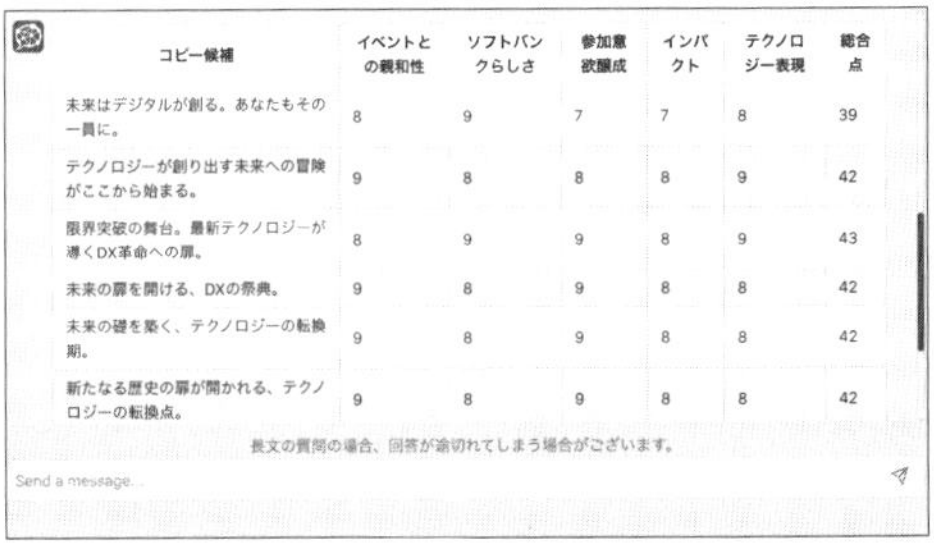

コピー候補	イベントとの親和性	ソフトバンクらしさ	参加意欲醸成	インパクト	テクノロジー表現	総合点
未来はデジタルが創る。あなたもその一員に。	8	9	7	7	8	39
テクノロジーが創り出す未来への冒険がここから始まる。	9	8	8	8	9	42
限界突破の舞台。最新テクノロジーが導くDX革命への扉。	8	9	9	8	9	43
未来の扉を開ける、DXの祭典。	9	8	9	8	8	42
未来の礎を築く、テクノロジーの転換期。	9	8	9	8	8	42
新たなる歴史の扉が開かれる、テクノロジーの転換点。	9	8	9	8	8	42

648個のキャッチコピーのアイデアを予選・本選で絞り込んだ
ソフトバンクの資料を基に作成

の形式を選ばないことだ。Ｗｏｒｄ文書でもＰＤＦファイルでもいい。

カスタマーサポート部門であれば、自社固有のサービスに対する問い合わせ対応を生成ＡＩで自動化するといったことを検証しているという。筆者も取材の過程で、ソフトバンクの社員が生成ＡＩを使っているところを何度も目にしている。例えばSoftBank World 2023の運営を手がけた社員は、同イベントのキャッチコピーを決める過程で生成ＡＩによるアイデア出しを繰り返した。講演のスライド作成に生成ＡＩを使ったという社員もいた。

全社員向け、ＩＴヘルプデスク専用、法人事業の営業向けなど、生成ＡＩを使うための複数の社内ポータルが用意されている。法人事業の営業向けでは、「文章の内容を要約して」など頻繁に使われるものに関しては、ボタンを一度押せば生成ＡＩが回答する。ChatGPTのように必ず会話を経なければ答えが返ってこないわけではない。

業務利用を考えた場合、多くの企業が気にかけるのはデータの安全性。生成AIに入力した社外秘のデータが社外に漏れたり、外部への生成AIの回答結果として用いられたりするようなことがあれば一大事だ。ソフトバンクでは、ChatGPTをはじめとした外部のクラウドサービスの利用に関するルールを定めている。さらに社内で安全に利用できるソフトバンク版AIチャットを用意した。

突然、生成AIの利用環境だけを全社員に提供しているわけではない。2021年度に「AI Campus from SBU Tech」というAI人材育成プログラムをスタートさせ、基礎的な知識に関しては約2万人の全社員に学ばせた。実務にAIを活用する場合にトラブルの原因になりがちなAI倫理も学ばせている。基本的な考え方に加え、10以上の実際のAI倫理に関する事件・事例などを伝えた。技術系部門ではAIの活用、実践が可能な人材の育成を進める。

社内コンテストへの応募は10万件

2023年5月から開催された生成AI活用コンテスト。初回コンテストでは10日間で

提案件数は2023年10月時点

盛り上がる生成AI活用コンテスト

ソフトバンクの資料を基に作成

約５万２０００件の応募があった。その後も継続して開催されており、アイデアは10月の時点で累計10万件を超えている。

全社員を巻き込んだアイデア合戦はソフトバンクの伝統といっていい。ただし、生成ＡＩが話題だからといって、漫然とアイデアを募集しても社員が活発に応募するわけではない。実はコンテストには大きなニンジンがぶら下げられている。

最も優秀だと認められたアイデアには毎回１０００万円の賞金が贈られる。１回の賞金総額は２５００万円。１位だけではない。上位には相応の賞金が与えられるし、数千位までＰａｙＰａｙのポイントが付与される。社内コンテストの規模としては破格だ。

出来のいいアイデアに関しては、特許出願を進めている。孫がSoftBank World 2023の基調講演に立った10月4日の時点で、生成ＡＩに関する特許出願の数は1万件を超えたという。重要なものに関しては特許出願で情報が公開されるリスクを考慮して、あえて取りやめるケースもあるという。

自らもグループ内で最多の890件の特許を申請したという孫は、ソフトバンクによる特許出願数が日本企業で最多になる可能性を指摘し「生成ＡＩというテーマだけで1万件を突破した企業はおそらく世界一ではないか」とぶち上げた。

ＬＬＭを自社グループで開発

スピードを重視して世界中からいち早く優れたソリューションを探し出し、顧客に提供するのが法人事業で基本の進め方だが、生成ＡＩに関しては一歩も二歩も踏み込む。

どう踏み込んでいるかを理解しやすくするため、少し生成ＡＩについて説明する。ＣｈａｔＧＰＴのような生成ＡＩのサービスを実現するのに必要な要素は2つある。ＬＬＭ（大規模言語モデル）と呼ばれる膨大なパラメーターを含むソフトウエアプログラムと、ＬＬＭを構築し稼働させるハードウエア基盤だ。双方の進化が相まって現在の生成ＡＩが可能になった。

ソフトバンクはLLMとハードウエアの双方で手を打つ。LLMは子会社を設立して開発する。2023年8月に本格始動を表明したSB Intuitions（エスビーイントゥイッションズ）がそうだ。同社は独自LLMの研究開発と生成AIサービスの開発、販売、提供を目的に設立された。

2023年度第3四半期の決算説明会に登壇した宮川は「3900億パラメーターの達成に向けて順調に進捗しています」と話した。ここでいうパラメーターはLLMの性能を示す一つの目安になる数値だ。開発元のOpenAIはChatGPTで用いるLLMのGPT-3.5やGPT-4のパラメーター数は公表していないが、2020年に発表され、あたかも人間が書いたような文章が作成できるとして話題を呼んだGPT-3のパラメーター数は1750億だ。3900億パラメーターはGPT-3の2倍強に相当する。

日本企業で独自にLLMの開発を表明したのは、NECや富士通などのコンピューターメーカー、強力な研究機関を持つNTT、AI関連のスタートアップ企業などに限られる。LINEヤフーのような子会社を持つとはいえ、自社で作るよりもいいものを売るイメージの強い同社からすると意外とも思える決断だ。

独自のLLMを開発するのは簡単ではない。しかもその規模は3900億パラメーターと国内最大級だが、宮川は「やれるチャンスがあって、やれる人材がいて、資金も何とかなるソフトバンクだからこそ今やるべき存在ではないかということです」と意気込む。

自前のデータセンターを強化

自前のハードウエア基盤も強化する。北海道の苫小牧に「Ｃｏｒｅ Ｂｒａｉｎ」と呼ぶ大規模な計算基盤を備えたデータセンターを新設する。Ｃｏｒｅ Ｂｒａｉｎは全国4カ所に設置を計画しているソフトバンクの次世代社会インフラ構想の中核拠点となるデータセンターだ。

まず２０２６年度に受電容量50メガワット規模のデータセンターを開業する予定で、将来的には３００メガワット超へと拡大する見込みだ。開業までの総工費は６５０億円で、完成すれば国内最大級の拠点になる。使用する電力は全て再生可能エネルギーで賄う。

子会社のデータセンター事業者であるＩＤＣフロンティアと共同で構築。Ｃｏｒｅ Ｂｒａｉｎでは、ＧＰＵのハードウエア基盤だけでなく、ＨＰＣ（ハイ・パフォーマンス・コンピューティング）、量子コンピューターの基盤整備も構想する。

自前のデータセンター整備に関して、宮川はSoftBank World 2023の講演でこう説明した。

「ＡＩと共存する社会において必要なのは、計算基盤の分散配置と、それを安定稼働さ

苫小牧のCore Brainの完成イメージ
出所：ソフトバンク

せるための再生可能エネルギーの開発です。この構造なくしてＡＩとの共存社会の実現はあり得ません」

　ただ施設を強化するだけではない。生成ＡＩの急所というべきハードでも手を打つ。２０２３年５月に、米国の半導体メーカーであるＮＶＩＤＩＡ（エヌビディア）との間で、生成ＡＩと５Ｇ／６Ｇ向け次世代プラットフォームの構築で協業すると発表した。

　生成ＡＩに関しては世界でハードウエア基盤の取り合いが続いている。最も不足しているのは半導体、主にＮＶＩＤＩＡのＧＰＵ（画像処理半導体）だ。同社との協業がＧＰＵの確保にプラスに働くのは言うまでもない。

もともとGPUは画像処理用に開発が始まったが、LLMに限らずAIを効率よく動かすのに適した半導体として注目が集まり、世界中で供給不足の状態が続く。NVIDIAもフル生産しているが、急増する需要に追い付いていない。

ソフトバンクは先行して、LLMなどでの使用を前提に計算基盤の強化を進める。NVIDIAのGPUを2000基以上搭載したAIスーパーコンピューターを中核とする国内最大級の計算基盤を構築し、2023年秋から一部が稼働し始めた。当初はSB Intuitionsのｌｌｍ開発で利用するが、将来は大学や研究機関、企業などにも提供する予定だ。この計算基盤は、経済産業省の「クラウドプログラム」の認定を受けており、約200億円を見込む設備投資額のうち53億円の助成が決まっている。

生成AIもまず使って提案する

自前のLLM開発やデータセンター整備に踏み込みはするが、ソフトバンクにとっての生成AIの主戦場は法人事業だ。

2023年度第2四半期決算説明会で生成AIのビジネスモデルについて問われた宮川

は「ＯｐｅｎＡＩやグーグルがＢａｒｄ（現Ｇｅｍｉｎｉ）で取っているように月額いくらでコンシューマーにまで開放することは考えていません。ＢｔｏＢ向けのソリューションとして進めているところです」と語った。

事業の進め方はこれまでと同じだ。まず自らの業務に活用し、次にソリューションとして外販する。Azure OpenAI Serviceのような他社の開発した生成ＡＩも取り扱う。今井は「生成ＡＩというものすごくいい武器が来ていますから、大飛躍できると思っているんです。とにかく先行して使い倒しています」と明言する。

全社で業務活用が始まっているのはすでに触れた通りだが、外部への販売も始まっている。現状では、生成ＡＩを使ってみたいが、どうすればいいのか分からないという企業に向けて、生成ＡＩのクラウドサービスであるAzure OpenAI Serviceの提供に加え導入、運用支援までを担う事業が中心になっている。現時点で多くの企業が生成ＡＩを使う目的は業務の効率化にある。生成ＡＩが学習済みのデータだけでなく、社内のあちこちにある複数のデータを用いると利便性が高まるが、一から開発すると時間がかかる。今後、データ連携の手間を減らすためにプラグインを実装する予定だ。

顧客からの関心も高い。ある大手企業は「他社がまだ様子見の時点から自社で使い倒し、使い方を提案してくれるので助かる」と話す。別の企業は「単なるＩＴ会社ではなく、モバイルキャリアとしての顔を持つ巨大な事業会社がユースケースとして社内で利用して、いくつものノウハウを得たうえで提案してくるので参考になる面が多い」と言う。

実は社員向けのＡＩの基礎研修もサービス商品として販売している。もともとはソフトバンクの社内起業制度から立ち上がったもので、現場のエンジニアがＡＩ開発ノウハウや事例を教材化して提供する「Axross Recipe for Biz」がそうだ。

生成ＡＩの世界はまだ始まったばかり。ＬＬＭが扱うのは文章や画像が中心だが、今後はＭＭＭ（マルチモーダルモデル）が登場し、文章や画像だけでなく、音声、触覚なども対象に拡大するといわれる。より高度なロボットの制御などが可能になる。ソフトバンクもＬＬＭのマルチモーダル対応を視野に、１兆を目指しパラメーターの拡張を進める。

ＡＧＩがより現実に近づいた世界の到来だ。こういった時代を想定しながら、生成ＡＩに真正面から取り組む。

第3部

ソフト強さ

第1章

変化し続けた20年

ソフトバンクの法人事業の強さを知るうえで、欠かすことができないのが約20年にわたる成長の歴史だ。大胆な挑戦、大胆な買収、大胆な変革の連続であり、これらが現在の法人事業を形作った。法人事業への理解を深めるため本章では歴史をひもとく。

ADSLでブロードバンド実現の前史

ソフトバンクの法人事業はいつスタートしたのか。

買収・合併によって数多くの企業が集まり、さらには社名変更を繰り返してきたため、極めて沿革は複雑だが、法人事業に関しては2004年に買収した日本テレコムが実質的な母体と言っていい。社内の認識もほぼ同じだ。

ただし、2001年6月の発表から始まったADSL（電話線を用いたインターネット接続サービス）によるブロードバンド参入の時代から説明しなければ、法人事業の強さ、あるいはソフトバンクの成長の理由は理解できない。本書は前史としてこの時代から触れていく。

1995年のWindows95の登場で、国内のインターネット利用は一気に拡大したが、当時は低速のダイヤルアップ接続が主流だった。モデムを使ったアナログ接続の場合、回線速度は最大で56kbpsだ。動画の閲覧はもちろん、画像のダウンロードにすら時間がかかる仕様だった。

当時から、大容量インターネット接続、ブロードバンドの重要性は声高に叫ばれていたが、本命は光ファイバー網と言われていた。光は大規模な投資が避けられない。ここでソフトバンクが目を付けたのがADSLだ。既存の電話線を使うADSLは、光に比べて圧倒的に投資規模を抑えることができる。ソフトバンクはADSLがブロードバンドの現実解と見て、大勝負に出た。

無謀とも思えるADSLへの参入

インターネット接続事業の経験などなかったにもかかわらず市場に参入し、激安の

ADSLを全国に展開するとぶち上げた。しかも目標は100万人の契約だ。

月額2467円は他社の展開するサービスの約半額。一方で最大通信速度は8Mビット/秒と、他事業者の最大1・5Mビット/秒を大きく上回る。ダイヤルアップが一般的だった当時、ソフトバンクの展開したADSLは魅力的だった。ADSLを家庭で利用できるようにするモデムを全国で無償配布するパラソル作戦と言われた営業の一大攻勢は現在でも語り草だ。

狙いは当たり、9月の開始から半年で49万件の契約を獲得する。だが急成長事業に信じられないほどの痛みが伴った。契約は獲得できたが、サービスが利用できないのだ。ソフトバンクのADSLは、自宅からは電話線が使えるものの、NTT基地局内で使用されていないダークファイバーを借りて、これに接続して利用する。この基地局の設備借り入れに手間取った。

社長だった名古屋めたりっく通信が買収され、ソフトバンクのADSL事業にかかわることになった宮川、大手ゼネコンの出身で「日本で一番高い塔をつくってくれ」という口説き文句でソフトバンクに入社したばかりの今井は共に、1年以上にわたって休日返上で立て直しの最前線で奔走した関係でもある。

筆舌に尽くしがたい苦労の末、2003年2月には損益分岐点として掲げていた200

万契約を突破する。反転攻勢が見えてきた2004年にはソフトバンクBB（当時）から450万人超の個人情報が漏えいするという事件があったが、何とか危機を乗り切って、再び成長軌道に乗せ、2005年にはついに黒字化する。

この経験がソフトバンクの法人事業成長の礎となる。開通させるまで、事業を成功させるまで続ける執念や強力な営業力の遺伝子がここで誕生した。

「点や線で満足するのではなく、一気に面を取る。先行投資を恐れない」というソフトバンクの営業戦略はこの時、より明確になった。

3400億円で日本テレコムを買収

ソフトバンクは、最盛期の2006年には500万人を超すADSL契約を獲得する一方で競争は激化。投資先行で一時期は1000億円を超す営業赤字も計上した。

安定した利益、次の成長に向けて、新たな手を打つ必要がある。その一つが通信領域での法人事業進出だった。手始めにADSLの販売を目的に設立されたソフトバンクBBで企業向けIP電話など企業向けビジネスも開始したが、売り上げの大半はコンシューマー向けだ。大半の企業は固定電話による業務が一般的だったが、この市場はNTTが圧倒的

2004年の日本テレコム買収の記者会見から
写真：時事

に強い。壁は高かった。

ここでの一手が２００４年５月に発表された日本テレコム買収だ。同時期に５４８億円の営業赤字を計上した当時、安い買い物ではなかったが、投じた３４００億円とほぼ同額の年間売上高が日本テレコムからもたらされる。それも相当分が法人からの売り上げになる。

ＪＲグループの通信事業から発展した日本テレコムは全国に拠点網を持ち、もともと法人向け事業が中心だった。１０００人を超す営業部隊が在籍し、法人向け回線は１６０万を超す。法人に参入したとはいえ、ソフトバンク側の回線数は１万にすぎない。

前年度のソフトバンクの売上高は5173億円。両社の売り上げを足せば1兆円が見えてくるだけでなく、法人攻略の体制固めが一気に進む。

現在でもソフトバンクグループのWebサイトでは日本テレコム買収会見の動画を公開している。今よりかなり若い孫が「ブロードバンド革命が次の段階へと進化します」と少し興奮気味に話すのが確認できる。

ただ法人事業の拡大を軸に据えた次の段階は簡単に上れるものではなかった。日本テレコムはもともと携帯通信事業を含めた総合通信事業者としての成長を図っていたが、英ボーダフォンに買収され、重要度が低いとみなされた非携帯通信事業が切り出されて投資ファンドに売却された状況だった。

利益は出ていたものの業績も絶好調とは言えなかった。外部から経営者を招き、再生を期して投資ファンドの傘下で企業風土の刷新から変革を進め始めた段階だ。買収で一気に変革は進み始める。

おとくラインで攻勢

スピードを重要視するソフトバンク流で、事業を拡大させるための満身の一手が

2004年12月の「おとくライン」の開始になる。既存のメタルの電話回線を使ったままNTTから日本テレコムに契約先を変更して利用できる固定電話サービスだ。

「100年続いたNTT独占の電話網、固定電話に対して市場参入するというのろしを上げた」。日本テレコムに在籍していた上野は、当時の様子を少し興奮気味に伝えてくれた。おとくラインにかける意気込みは並々ならぬものがあった。

最大の売り物はADSL市場で大きな効力を発揮した低価格戦略。月額基本料金がNTT東日本、NTT西日本よりも100~200円安いだけでなく、法人の場合は通話料金を55%割り引くとした。驚くべきは9月、KDDIの競合サービスに対抗するためさらに価格を下げたことだ。サービス開始前の値下げは異例といえる。

ADSL市場で威力を発揮した低価格に加え、さらに設備投資の一部を販売代理店が負担する代わりに、企業の契約が続く限り売り上げの一部を提供し続ける代理店契約を採用した。販売代理店との契約は、代理店側のやる気を引き出すとともに、日本テレコムの設備投資を圧縮させる一石二鳥の効果を狙ったものだ。

強力な商品、サービスが用意できたからといって売り上げは拡大しない。むしろ開始当初には設備投資や販売代理店獲得、売り上げ拡大のためのコストが発生し、2004年度の日本テレコムの決算は521億円の赤字に沈んだ。

成果を反映するシンプルな体制へ

大丈夫でないなら大丈夫にするしかない。2005年には、現在につながる法人事業のキーパーソンが日本テレコムの経営に積極的に関与し始める。2006年にソフトバンクテレコムへ社名変更した後、2008年には常務執行役員として今井が自ら立て直しに乗り込んだ。ソフトバンクで当時、営業部長だった藤長は「今思えば若気の至りですが、業績が良くなればという一心で、かなり厳しいことを日本テレコム側に具申した記憶があります」と話す。

今井はソフトバンクテレコムの営業体制を一から見直し、営業体制も一変させる。「金融、製造などユニットごとの縦割りの業種特化型で営業しており、年功序列の色彩が色濃くて、貢献が個人に帰属しない評価制度でした。それをもう徹底的に変えました」と今井は語る。どう変えたのか。2008年には、営業の評価基準は、モバイル、データ回線、おとくラインの売り上げを3本柱に設定し、営業の成績をこの3つだけで決める形に変えた。これらの貢献は明確に賞与などの形でシンプルに反映される。

さらにどの業種、どの企業にも全ての営業担当者が自由に営業できるようにしたという。顧客が迷惑に感じないよう、同じ企業へ二重に営業しないような仕組みは準備した。

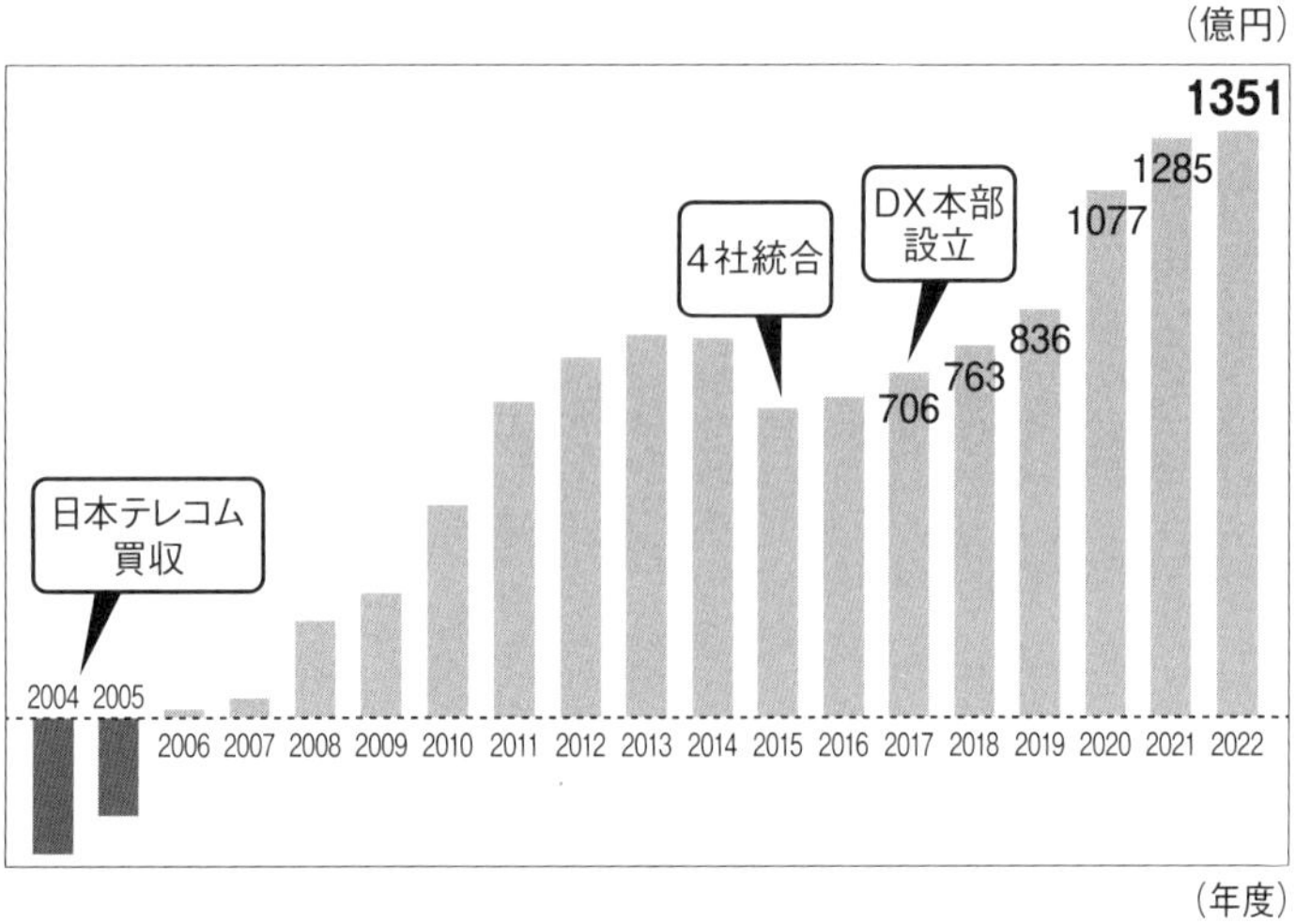

※2014年度以前は旧ソフトバンクテレコムの営業利益、2015年度以降はソフトバンク法人事業の営業利益

法人事業の営業利益の推移

出所:ソフトバンク

「相当、社内で競争したんではないでしょうか」と今井は振り返る。

当時の企業向け通信は、NTTを中心とする競合の牙城だ。最初はアポを入れるだけでも一苦労だった。大手企業の元役員を顧問に招くなどして、1社、また1社と最初のアポイントを取ることまで試したという。

変革の波は確実に現場にも伝わっていた。日本テレコムに在籍していたDX本部長の河西に「法人事業の変わり目があるとしたらいつか」と尋ねると、「一つしかありません。今井が法人を率いるようになったタイミングです。それ以前が悪かったというわけではありませんが、やることが明確になりました。これで営業も技術の部隊もバックオフィスの部門も一丸となって進んでいけたのです」と即答した。

努力のかいがあり、業績は改善する。2004年度の521億円の赤字は、ソフトバンクテレコムに社名を変更した2006年度にはわずかだが黒字に転じ、リーマン・ショックに襲われたにもかかわらず2008年度には192億円の営業利益をたたき出すまでになった。

ボーダフォン買収で法人でも携帯販売

法人事業の営業改革が進んでいる間にソフトバンクは次の大勝負に出る。約1兆7500億円という巨額を投じた2006年4月のボーダフォン日本法人の買収によって、モバイル事業に乗り出したのだ。ADSL参入、日本テレコム買収に続く、通信事業では3度目の転機である。

モバイル事業への進出は数年がかりのソフトバンクの悲願。すでに総務省に対する行政訴訟などの結果、前年11月には新規参入事業者として総務省から認可されていたが、ゼロからの設備投資には時間がかかる。高いと批判されることもあったが、買収で時間は買え

2006年のボーダフォン日本法人買収の記者会見から
出所：ソフトバンク

た。

ただこのころのボーダフォン日本法人はNTTドコモ、KDDIに離された万年3位が指定席。契約回線数は1500万で伸び悩んでおり、営業利益も2006年3月期には前年からほぼ半減の760億円にまで減っていた。ためらっている余裕はない。ソフトバンクは、ソフトバンクテレコム、ソフトバンクBBの入居する東京・汐留にボーダフォンを移転させ、2006年10月には社名もソフトバンクモバイルに変更した。

ソフトバンクモバイルは携帯の契約者を増やすために打てる手は何でも打った。最初のヒットは月額基本料金を980円に抑えた「ホワイトプラン」。得意の低価格戦略だ。
「おとくライン」で攻勢をかけていた法人事業にも携帯の販売が加わる。ただ当初は100台程度の端末導入でも「大口契約が取れた」と喜ぶような状況だった。

iPhoneショックは法人にも

多くの努力によってモバイル事業の契約者数は純増に転じたが、ソフトバンクが飛躍するきっかけが、2008年7月から始まったiPhoneの販売だ。2008年の販売前には18%強だったシェアは、2011年9月には22%弱まで伸びた。

iPhoneの存在は当然のように法人事業の変革にも影響を及ぼす。手探りのなかで、電話機や回線といったモノ売りからの脱皮が始まった。

ガラケー、あるいは他メーカーのスマホと比べても、圧倒的に使いやすく、パソコンに近い機能を持つiPhoneは企業の関心を引き付けた。業務で使いたければソフトバンクから仕入れるしかない。

他のキャリアと明確に差異化できた瞬間だった。iPhoneへの企業ニーズをさらに高めるため、2008年9月には期間限定ではあるが「1500社の企業にiPhone

を無償貸与する」とグループの大口顧客向け説明会で発表した。同年の日経ソリューションビジネス9月30日号によれば、説明会場で導入に前向きな企業として「大塚製薬、新生銀行、東急ハンズ、ユニクロ」の名前が挙げられている。ｉＰｈｏｎｅは最高のドアノックの商材となった。

とはいえ、好き嫌いで決まるコンシューマー市場とは異なる。導入に当たっては、費用対効果という絶対的な判断基準がある。

ガラケーに比べてｉＰｈｏｎｅの利用料金は高い。「ガラケーだったら月額４０００円も払えば利用できる。なぜ2倍の８０００円もかけてまでｉＰｈｏｎｅを使う必要があるのか」。実際に企業で採用されるためにはこの質問への答えを用意する必要があった。

同じ年にはＮＴＴドコモが米国の企業向けスマホ市場で先行した加リサーチ・イン・モーションの「Ｂｌａｃｋ Ｂｅｒｒｙ」の販売を強化し、ＫＤＤＩも同じ9月に先行して台湾のＨＴＣ製品を日本市場に投入すると発表していた。ｉＰｈｏｎｅがあるからといって安泰とは言い切れない。

だがｉＰｈｏｎｅは革新的な製品であるがゆえに、利用の手本は存在しない。ソフトバンクの中でもどう使えばいいのかという答えはない。

この問題の答えが「自分たちで使う」だった。ｉＰｈｏｎｅさらにはｉＰａｄを、当時のソフトバンクモバイル、ソフトバンクテレコム、ソフトバンクBBの全社員に配布したのだ。

きっかけは孫の考えだったという。情報革命を実現させるためにはまず自らが体験すべきということだったのかもしれない。これに対して、いの一番に「やる」と言ったのは法人事業の部隊だった。この時以来、法人事業には、売るものはまず自分たちで使って、説得力のある提案方法を見いだす文化が根付いていく。

実体験に基づいて使い方の話まで踏み込んだ提案は、他社にはできない説得力を持つ。ここから第1部でも記した「使い倒す」文化が育まれていった。

第2章

逆算、データ、スピードが生む独自のスタイル

最後となる本章では、歴史に続き、逆算、データ重視、スピード、オープンでフラットなコミュニケーション、全員参加を促すプロセスといった法人事業を貫く文化を紹介する。

逆算でゴールを目指す

取材で何度となく聞いたのが「逆算」。「逆算経営」という言葉もよく使われる。筆者の手元に「ソフトバンク流強い営業力を創る手法」と題した資料がある。ある企業の管理職に向けた非公開の講演用に今井がプレゼンしたもので、逆算経営について「目標を必達するための戦略」と説明している。

逆算経営はともかく、逆算、あるいは「バックキャスト」という言葉は、企業を成長さ

せるキーワードとして使われる機会が増えてきた。ソフトバンクが他社と違うのは、実現に向けた徹底ぶりだろう。目標を立て、スケジュールを区切って今やるべきことを明確化する。

具体的には、何年か先の売り上げあるいは利益といった目標を決める。場合によっては10年近く先のこともある。そこからまず毎年の営業目標が決まる。次に月次の目標が決まり、月次の目標を各組織に割り振る。

逆算経営はここで終わらない。各組織のマネジャーはダッシュボードと呼ばれる画面を毎日にらんで、受注の前段階の商談数を確度別に分けて月次で進捗を追い続ける。達成できていれば問題ないが、そうでなければ対策を打たなければならない。

まだ目の前の現実的な目標ならば手の打ちようはある。既存の事業の伸びから考えれば不可能にも思える高いゴールが突然、設定されることもある。法人事業を例に取ろう。前述したように宮川は達成年度こそ明らかにしないものの、２５００億円、５０００億円という営業利益目標を設定している。

設定時点で目標達成までの根拠となる積み上げ数字はない。ゼロからの新規事業を含め、何をすれば届くのかという段階から議論が始まるのだという。

アクションプランとウオーターフォールチャート

逆算経営を具現化するために法人事業でよく使われるツールがある。アクションプラン（行動計画）とウオーターフォールチャートだ。

アクションプランについて説明の必要はないだろう。目標から逆算し、いつまでに何をやるかを見える化したものだ。ウオーターフォールチャートには少し説明が必要かもしれない。作ること自体ではなく、数年先のゴールまで時間軸に沿って何を達成しなければならないのかを明確化するのが法人事業のスタイルだという。

抽象的では許されない。ゴールから逆算し、いつまでにどういった数字を実現するかを必ず明示する。

ゴールの時点で目標数字に達したチャートを出すと大目玉を食らうという。何十回とチャートを作ってきた法人マーケティング本部長の上野は「目標通りだと怒られるんです。計画の1・2倍やるつもりで考えないと、見込み違いの一つや二つはすぐに出てくる。できないことだってあるんだから」と話す。

アクションプランやウオーターフォールチャートは一度作れば終わりではない。計画はあくまで計画。現実が追い付かないのはよくあることだ。

「ギャップフィル」。これも取材で何度となく聞いた言葉だ。目標との差が「ギャップ」であり、追い付くための対策が「フィル」になる。現場では日々、ギャップフィルという言葉が飛び交う。

現実とのギャップを埋めるために、絶えず計画を見直す。見直した計画も進捗状況を確認し、またギャップが生まれればさらに計画を見直す。目標へと向かう絶え間ない行動の連続こそ逆算の本質だろう。

何事もデータを分析

目標の高さだけに注目すると、ややもすると根性と気合で乗り切ろうとするところがあるように感じるかもしれないが、実態は異なる。何事も客観的なデータをもって判断する。取材中も強くデータ至上主義の姿勢を感じた。

この辺りをよく示すのが、藤長の「我々が重視するのは、勘と経験と度胸のＫＫＤではなく、勘と経験とデータの新ＫＫＤです」という言葉だ。

上野は、２００４年の日本テレコム買収でソフトバンクに入ることになったが当初、データを重視する文化に驚かされた。買収直後に徹底的に多変量解析でデータを分析するよう指示が下りてきたのだという。

ギャップフィルで追うのは数字だ。「久々に学生に戻ったつもりで勉強し直さなければという状態になりました。このままでいったら着地がどうなるのか、目標とのギャップはいくらで、足りない分を補うためのアクションは何なのか、ずっと多変量解析をやっていました」。上野はこう当時を思い出す。

多変量解析を使ったデータ分析は法人事業だけでなくソフトバンク全体を貫く文化になる。2012年発行の『300年企業目指すソフトバンクの組織・人事戦略』（滝田誠一郎著、労務行政）には、2010年代に入るころまでのソフトバンクの組織運営実態が書かれている。内容を損ねないように要約して引用する。

10人一組を原則とした「チーム制」、各チームさらには各メンバーの売り上げと経常利益から予算の達成状況を日々算出する「日次決算」、およそ1万の経営指標を使ってあらゆる角度から経営分析する「1万本ノック」である。

特に日次決算と1万本ノックは、データ至上主義がソフトバンクの伝統ともいえることを明示している。

白い犬のお父さんで親しまれるソフトバンクのCMからは想像しづらいかもしれないが、携帯電話の契約獲得でも、最重要視されるのはデータだ。販促キャンペーンでもコマーシャルでも、内容やタイミングなどのいくつもの要素と契約数の伸びを関連付けて分析する。コンシューマ事業の売り上げ状況は時報と呼ばれるメールで幹部以上に共有され、1時間単位でギャップフィルが求められる。前述した日次決算はさらに進化している。スマホ累計契約者数3000万人達成の裏にはこういった積み重ねがある。

「スピードは顧客への誠意」

法人事業でのスピードへのこだわりにも並々ならぬものがある。今井は「スピードが一番。スピードで負けたら、ちょっとおいおいということになる」と言う。

上野も「DNAの中に刷り込まれているのはスピード。スピードは顧客に対する誠意」と言い切る。自社製品にこだわらず、顧客や市場の時間軸に合わせてソリューションを提供する姿勢の裏には、スピードへのこだわりがある。

法人営業の動きの早さは顧客の共通理解でもある。「とにかく提案が早い。自分たちがいけそうだと思ったら即提案を持ってくる」「普段の会話で何か困っていると見ると、次に会った時には提案を持ってきてくれる」といった話を何度も聞いた。

法人事業の営業担当者の売り上げや期中の成績は日次で全員が共有する。ただし、成績を公開することで個々人にプレッシャーをかけるのが狙いではないという。

商談には失注が付き物だ。提案まで進まずにうやむやになる案件も多い。こういったことがないよう、各組織のマネジャーは全ての商談の進捗状況を確認する。

全員が状況を把握し、目標との差、ギャップを埋めるために、どう行動すべきかを考えるためにオープンにしているのだという。

どんな組織でも、スピードを維持し続けるのは容易ではない。ソフトバンクのように巨大化している企業ではなおさらだ。いかにして大企業病を避けるか。

ソフトバンクは宮内が社長を務めていた当時、「成長戦略と構造改革」という言葉をよく使っていた。今井も成長戦略と構造改革は並行するのが重要だと考える。「スピードが一番と言っているんですが、現実には会社が大きくなってくるとどうしても事務作業が増えてきます。案件を取る時も社内調整のための稟議《りんぎ》をいろいろ書く必要があったりして、担当者は大変なんですね。だからやり方を見直しています」というのが理由だ。

どこの企業でも使っているフレーズだと言われそうだが、両者を2本立てで並行して走らせるのがソフトバンク流といえる。業績不振に陥ってから構造改革に乗り出し再度、成長への軌道を描こうというのではない。

絶えず成長し続けるために、好業績のなかでも業務やプロセスの改革に取り組む。仕掛けを作って常に働き方を見直し、BPRを徹底して、生産性を上げる。新たなテクノロジーを積極的に採用することも忘れない。

全員の知恵を集める

組織の規模が拡大するなかで、事業のスピードを加速するために取る策はもう一つある。階級に限らず社員の力を利用する。法人事業に限らないが、何かあれば、全員からアイデアを募るのがソフトバンクの文化だ。

「～さんはどう思う」「～さんのアイデアを教えてくれるかな」

取材で参加したソフトバンクの社内会議で何度となく耳にした言葉だ。ビデオ会議のこともあればリアルの会議でのこともあった。声をかけるのはマネジャー、要は上司で、相手は20代の若手社員である。

問われた若手は臆することなく自然な態度で自分の考えを示す。当たり前すぎて気が付かないのだろうが、ここまで頻繁に若手のアイデアを聞く会社はあまり見たことがない。

全員からアイデアを募るのは法人事業に限らない全社の文化と言った方がいいだろう。最近では、生成AIの活用コンテストの開催が好例だ。

大きなテーマであればあるほど社員に頼るのかもしれない。ソフトバンクはグループ総体として2010年に「新30年ビジョン」をまとめた。創業30年を迎えた同社が次の30年に向かう方向を示したものだが、この時も当時の全社員からアイデアを募った。

およそ1年をかけた議論の結果、最も有望とされたのは当時、「脳型コンピューター」と呼んでいたAIであり、ここから拡大する情報革命だ。2014年に誕生し、話題を呼んだ人型ロボットの「Pepper」。Pepperの誕生は新30年ビジョン策定の過程で開かれた、ソフトバンクのグループ各社社員によるプレゼンテーション大会で、ロボットに関する提案が優勝したことがきっかけの一つだ。

役職や社歴にかかわらず、「これがいい」と一番分かっている人間の声を重視するのもソフトバンクの特長と言える。生成AIの活用に関連する好例がある。

全社での生成ＡＩの利用が進むなか、西日本の拠点で働く当時33歳だった社員の率いる若手チームが「これは」という業務利用の方法を考えた。この内容が経営会議で共有されることになったが、プレゼンしたのは本人だ。経営陣は納得し「まず全社で使ってブラッシュアップしていけばいい」という結論に達した。

これだけの大企業の経営会議でこの若さの社員が説明する例は少ないだろう。今井は「本人に聞くのが一番。むしろ上の人間に話させたら伝言ゲームで本当に重要なことが伝わらなくなる」と言う。

２０１０年代にはなるが、同社の経営会議の様子を記した書籍に『キレるソフトバンク』（榊原康著、日経ＢＰ）がある。その様子は以下のようなものだ。

「一般に経営会議と言えば、取締役や役員クラスの幹部が集まって意思決定を下す様子を思い浮かべるが、ソフトバンクは違う。役職に関係なく、議題に関連した分野について最も詳しい人間をすべて招集する。一般の社員はもちろん、社外の人間が呼ばれることも珍しくない。米スプリントの幹部はその様子を見て、『なぜ経営会議に普通の社員が参加しているのか』と絶句したという」

知っている人間を集めても不明点が出ることもある。その場合はどうするのか。同書によれば経営会議の「参加者がどんどん増えていく」のだという。

出身母体は気にしない、派閥は存在しない

インターネット革命の可能性を信じて、ホテルを辞め、畑違いの業界に飛び込んできた藤長はオープンな社風を強調する。

名古屋めたりっく通信、日本テレコム、ボーダフォン日本法人、イー・アクセス、ウィルコムなど様々な企業の合併や買収を経て現在のソフトバンクが成り立っているが、藤長によれば「誰がどの会社出身かなど気にしたこともないし、気にしようもないんです」という。

日本テレコム出身でDX本部の本部長である河西からも、法人事業の強さについて尋ねると同様の答えが返ってきた。「社風に近いのかもしれませんが、胸を張って言えるのは派閥がないことです。本当に今井が嫌ってきました。何度も合併を繰り返してきましたが誰も気にしません。どこの出身なのかを気にせずに、多様性に富んだ人間が一丸となれるのが強みです」。

今井や藤長、河西といった幹部は総じて明るい。今井に至っては「It's easy（簡単だ）」がモットーで「あまり悩まないでいこうよ」という気持ちでいればいい結果につながると、この言葉を部下に繰り返し伝えている。

実はこの言葉は孫からの受け売りだという。孫は悩むことがあるとよくトイレに立つというが、帰ってくると「できた」と話すのだという。トイレの中で「簡単だ、簡単だ、簡単だ」と繰り返すうちに、ぱっと頭の中がさえてくるというのだ。「いいことを聞いた」ということで、現在に至るまで今井はこの言葉を使っている。

「失敗を恐れない」

挑戦できるのは失敗を恐れないからだ。確かに急成長したとはいえ、ソフトバンクは全てで成功した企業ではない。むしろ数え切れないほどの失敗を経験してきた。ＡＤＳＬ事業が軌道に乗った２００４年には、４５０万人以上の顧客の個人情報漏えいが起こったこともある。

それでも失敗を恐れないのがソフトバンクの流儀だ。失敗を次の成功への経験だと割り切れる文化が同社にはある。これは親会社であるソフトバンクグループから受け継いだものなのかもしれない。時に失敗、時に成功を繰り返しながら、果敢にリスクを取って成長してきた。

あるソフトバンクOBは「何度、いわゆる『ＰｏＣ死』になったプロジェクトを見たか分からないが、それでも新たに挑戦する。本当に失敗を恐れない」と打ち明ける。

ＰｏＣとはProof of Conceptの略であり、日本語では「概念実証」と訳す。問題点、改善点をあぶり出し、大規模に展開する前に、まずテスト的に実施することだ。ＰｏＣ死とはプロジェクトが実証から先に進めなかったことを指す。

失敗例の一つとして今でも話題に出るのがＩＢＭの人工知能であるＷａｔｓｏｎの法人事業での社内活用だ。かねてＡＩに大きな可能性を感じていたソフトバンク（当時はソフトバンクテレコム）は２０１５年２月、日本ＩＢＭとＷａｔｓｏｎの日本語化と市場導入で戦略提携すると発表した。

売るのなら、まず自らが使いこなす。率先して社内でＷａｔｓｏｎの活用に取り組んだ。ただＷａｔｓｏｎは早すぎ、当時のソフトバンクには難しかった。大量の教師データを集めるのも現在に比べてはるかに難しかった。

ただし他社に先行して経験した失敗が、今の生成ＡＩ関連事業を成長させる糧となっている。ソフトバンクは今、全社を挙げて生成ＡＩに取り組んでいるが、Ｗａｔｓｏｎを使ってやろうとしたこと、できなかったことの記憶と経験があるから、具体的に何をすればいいのかイメージしやすいのだという。

藤長がインタビューで語った次の言葉が失敗を恐れない同社の姿勢を象徴している。

「挑戦して失敗するケースはよくあります。私も何個も会社を潰しました。綿密な事業計画があっても失敗することはあります。こっぴどく怒られて、同じ失敗をするなと言われますが、それだけです。翌日以降は次に行けという具合で、やらないリスクよりも、やるリスクを取る文化です」

堅さに加え合理性も

ソフトバンクのライバルと言えば、通信キャリアであるNTTやKDDIを思い浮かべる読者も多いだろう。他のキャリアとの比較で見るとどうだろうか。企業文化の違いが営業力の差につながっているように見える。

電話やネットがつながらなければ社会は混乱する。通信は社会インフラであり、通信事業者にはインフラ事業者としての信頼性を強く意識して事業を展開してきた。

しかもNTTは1980年代の民営化までは株式会社ではなく公社だ。KDDIも母体の一つであるKDD（国際電信電話）は設立当初、日本で唯一の国際電信電話を扱う会社であり、純粋な株式会社とは異なる性格を持っていた。法人事業を手がけてもこうした社風からは自由になれない。慎重、堅い、まじめといった部分は残る。

ソフトバンクは違う。グループの創業者である孫はゼロから巨大企業を生み出した日本屈指の起業家だ。挑戦を重んじる気風を含め、今もいたるところにベンチャー気質を感じさせる。同社に中途入社したある社員は「決断の速さに驚いた」と言う。常に正解だとは限らないだろうが、速さが強さにつながっているのは間違いない。

通信やITに詳しいあるジャーナリストは「いくつもの合併や買収を通じて成長してきたソフトバンクには、インフラ事業者としての堅さに加え、他社にはあまりない商売人的な合理性を感じる。それが営業の強さという世評につながっているのではないか」と語る。

ソフトバンクを貫く5つのバリュー

「努力って、楽しい。」

「No．1」「逆算」「挑戦」「スピード」「執念」

最後にソフトバンク全体を共有するバリューを紹介したい。社内に展開されたのは

2014年10月だったという。ソフトバンクらしさとは何かを社内で議論するなかで浮かび上がったものだという。これらは別々に存在するのではなく、相互に関連し合いながら同社の成長を支えてきた。

法人事業の成長を支える、逆算やスピードはバリューの構成要素そのものだ。バリューを知ると、法人事業がソフトバンクにとって欠くことのできないものであることを改めて感じさせられる。

おわりに

2023年8月に本書の企画がスタートした時、ソフトバンクの法人事業をどう位置付け、どういった内容にすべきなのか思いあぐねた時期があった。法人事業の存在は知っていたが、取材経験はそれほど多くはない。

ただ悩んでいても仕方がない。ソフトバンクの全面協力の下、なんとか本書をまとめることができた。対面、オンラインを含めた取材で、同社のもう一つの顔である法人事業の実像をおぼろげながらつかむことができたと思う。

世界を見渡しても短期間で1兆円以上の売上高を実現し、成長している企業はほぼ全てが、IT、デジタルを活用してデータを基に行動し、DXを実践している。ソフトバンクも例外ではなかった。そのエッセンスこそが法人事業だ。

一点だけ心残りを挙げるとすれば、実際の商談の現場に立ち会えなかったことだろうか。顧客を含めた守秘義務が絡む場面でもあり、当然のことだとは思うが、それでも提案までの準備、提案の場で交わされるやり取りは、ソフトバンクの法人事業の全てが凝縮された瞬間といえる。一度はこの目で見たかったと思う。

続いて謝辞を述べたい。

本書の執筆に当たっては多くのみなさんの協力を得た。日常業務だけで忙しいなか、ソフトバンクが主役の書籍に顧客の立場からインタビューに応じてくれた、全日本空輸の笠川茜さん、渡部由紀子さん、ウエルシア薬局の安倍崇さん、清田明信さん、六倉幸司さん、住友生命保険の岸和良さんには深くお礼を伝えたい。

ソフトバンクでインタビューの時間を取ってくれた今井康之会長、桜井勇人専務執行役員法人統括、藤長国浩専務執行役員法人副統括、河西慎太郎執行役員デジタルトランスフォーメーション本部本部長、長野雅史執行役員法人第一営業本部本部長、上永吉聡志カスタマーサクセス本部本部長にも感謝したい。宮川潤一社長兼ＣＥＯには中間決算発表会で、突然の質問にもかかわらず、こちらの予想以上の答えを返してもらった。上野邦彦本部長、相田伸彦統括部長、丹羽みずき部長、高嶋美佳課長、金同夾担当課長、本郷寛課長代行、岡田亮さん、橘亮吾さん、三宅絵馬さん、山崎亜子さんといった法人マーケティング本部のみなさんには長期間にわたり様々な支援を得た。長時間に及んだレクチャーから、取材の調整、門外不出だった情報へのアクセス、場合によっては関係各方面を含めた事実の確認まで、法人マーケティング本部のみなさんの協力がなければ、本書は完成しなかった。

多数に及ぶので名前は割愛するが、本書執筆の過程で多くの知見を提供してくれたみなさんにも深く感謝する。

ライターとしてインタビュー、調査、さらに執筆に協力してくれた堀純一郎さん、吉田洋平さんの二人には、本書をまとめるに当たって本当に助けられた。

執筆に際しては多くの書籍、資料に当たったが、『キレるソフトバンク』（榊原康著、日経BP）、『300年企業目指すソフトバンクの組織・人事戦略』（滝田誠一郎著、労務行政）、『孫正義 300年王国への野望』（杉本貴司著、日本経済新聞出版社）の3冊は特に参考になるところが多かった。いずれも読んで損のない1冊であり、ソフトバンクに関心を持たれたなら一読を勧める。

最後に、本書で明らかにしたソフトバンクのもう一つの顔が、DXを通じた日本企業の成長、日本の社会課題解決のヒントになれば幸いだ。

中村 建助

参考文献・参考資料

『ソフトバンク「常識外」の成功法則』（三木雄信著、東洋経済）

『キレるソフトバンク』（榊原康著、日経BP）

『孫正義 300年王国への野望』（杉本貴司著、日本経済新聞出版社）

『志高く 孫正義正伝 新版』（井上篤夫著、実業之日本社文庫）

『300年企業目指すソフトバンクの組織・人事戦略』（滝田誠一郎著、労務行政）

「孫社長に直撃,『日本テレコム買収の真意』『法人ユーザーの基盤ができた。携帯電話参入の布石にも』」（日経コミュニケーション、2004年6月14日号）

「ソフトバンク、iPhoneで法人市場に攻勢 1500社への無償貸与で新規顧客を発掘」（日経ソリューションビジネス2008年9月30日号）

「ソフトバンクECなど，ダイヤモンドのネット販売会社を設立」（ITmediaニュース、2000年7月26日）

「ニュース ソフトバンク,日本テレコムの買収を正式に発表」（日経クロステック、2004年5月27日）

「ソフトバンクグループが固定電話事業で新協業戦略、販売パートナーも投資・リターンを分担」（日経クロステック、2004年8月30日）

「日本テレコムが『おとくライン』で新プラン，KDDIを下回る水準に」（日経クロステック、2004年9月15日）

「ソフトバンク・グループが固定電話サービス参入でNTT東西に挑む」（日経クロステック、2004年8月30日）

「ソフトバンクが1兆7500億円でボーダフォン買収、『安くも高くもない、いい値段だ』」（日経クロステック、2006年3月17日）

「ソフトバンクが881億円を調達，携帯端末の割賦債権を流動化」（日経クロステック、2007年6月29日）

「テレコム・ウォッチ KDDI，スマートフォンは次年度下期，白熱した法人向けモバイル討論会」（日経クロステック、2008年2月22日）

「テレコム温故知新～Time Line～［2001年］ブロードバンドの価格破壊,激しい競争を呼び起こす」（日経クロステック、2009年6月30日）

「ソフトバンクテレコムが『月額4500円』のHaaSを提供」（日経クロステック、2009年11月18日）

「ホットトピックス［日経コミュニケーションRepo］ソフトバンクがクラウドに“ホワイトプラン”投入 日本の廉価版クラウド・コンピューティングが急拡大」（日経クロステック、2010年1月18日）

「CLOUD特捜部 独自の取り組みで価値を向上させるソフトバンクテレコムの『ホワイトクラウド』“ホワイト”ブランドは覚悟の証」（クラウドWatch、2011年5月25日）

「プレスリリース 2011年 ソフトバンクグループ通信3社『Google Apps for Business』を全社26,000人に導入」（ソフトバンクテレコム、ソフトバンクモバイル、ソフトバンクBB、2011年7月20日）

「ソフトバンクモバイル CFOの藤原が振り返る 移動体通信事業の5年間」（ソフトバンクニュース、2012年2月21日）

「ソフトバンク決算、“言い訳抜き”で増収増益 株主還元を重視する新たな財務戦略を打ち出す」（ケータイWatch、2012年4月26日）

「つながりやすさのアピールに終始、ソフトバンク新商品発表会で孫社長の一問一答」（日経クロステック、2013年9月30日）

「企業ZOOM IN⇔OUT - ソフトバンク　『Smart & Fun!』のスローガンの下､働き方改革を目指す」（WEB労政時報、2017年9月28日）

「ソフトバンク、RPAで4000人分の業務代行　孫氏が表明」（日本経済新聞電子版、2019年6月13日）

「プレスリリース 2019年 竹芝地区でスマートシティを共創～最適な行動を支援するアプリケーションプラットフォームを導入するほか、企業や自治体と連携して最先端のテクノロジーを街全体で活用」（東急不動産、ソフトバンク、2019年7月9日）

「英アームがビッグデータ分析の米トレジャーデータを買収へ」（日経クロステック、2018年7月30日）

「ソフトバンク･博報堂･Armが新会社『インキュデータ』設立。企業のデータ活用を支援」（PHILE WEB、2019年9月5日）

「SBと博報堂､Armがデータ活用で企業の変革を支援する新会社設立」（TECH+､2019年9月5日）

「ソフトバンクと博報堂が協業、企業のデータ活用を支援する新会社を設立」日経クロステック、2019年9月6日）

「ヤフーが4千億円でZOZO買収　EC日本一に執念、融和に腐心」（日経クロステック、2019年10月3日）

「ヤフーとLINEが経営統合へ　米中の巨大ITと伍せるか」（日経クロステック､2019年11月28日）

「プレスリリース 2020年 日本初、Microsoft Azureのパートナー認定において『Azure Expert MSP』と『Azure Networking MSP』の二つの認定を取得〜Microsoft Azureおよび関連ネットワークサービスの導入実績や技術力などが高評価〜」(2020年2月13日、ソフトバンク)

「0→1は、やらない。ソフトバンク流・新規事業の作り方」(News Picks Brand Design、2020年3月27日)

「ソフトバンクがSVF出資先の米Mapboxと合弁会社を設立した狙い」(日経クロステック、2020年6月23日)

「プレスリリース 2020年 ソフトバンクとグループ2社が『2020 Microsoft Country Partner of the Year』を受賞〜国内で最も優秀な実績を上げたパートナーとして選出〜」(ソフトバンク、SB C&S、SBテクノロジー、2020年7月14日)

「ソフトバンク、法人向け『Zoom』新規IDが48倍に」(ケータイWatch、2020年8月4日)

「川又Dが行く!建築デジカツ最前線 竹芝のスマートビルで1300個のセンサー探し、だがもっと大事なものを見つけた」(日経クロステック、2020年9月25日)

「ソフトバンクニュース 世界をリードするスマートシティを目指して。ソフトバンク新本社ビル『東京ポートシティ竹芝』が誕生」(ソフトバンク、2020年9月10日)

「社長の投稿に、絵文字で返事OK——『Slack』を全社導入したソフトバンクの活用術」(ITmedia NEWS、2020年11月18日)

「プレスリリース 2021年 AIやIoTを活用した水の再生処理技術を持つWOTAと資本・業務提携〜水道インフラの維持が困難な過疎地域などにおいて、水道インフラから独立した分散型の新たな水供給システムの構築を見据えて〜」(ソフトバンク、2021年5月10日)

「人と繋がり、コミュニティーを育む。竹芝の本社ビルが目指す新たな社員食堂のカタチ」(ソフトバンクニュース、2021年3月30日)

「データ活用で日本をDX先進国へ－ソフトバンク法人事業説明会レポート」(ソフトバンクニュース、2021年6月4日)

「『社会を、まるごと良くしていこう』－宮川社長が語るソフトバンクのこれから(後編)」(ソフトバンクニュース、2021年8月25日)

「プレスリリース 2022年 人流・気象データなどを活用した小売り・飲食業界向けAI需要予測サービス『サキミル』を提供開始〜高精度な来店客数の予測機能を低価格で提供し、発注数や勤務シフトの最適化に貢献〜」(ソフトバンク、日本気象協会、2022年1月31日)

「プレスリリース 2022年 AIやRPAの活用などにより約4,500人月相当の業務時間を創出、創出した時間で新規事業をさらに加速〜自社で積み上げた経験とノウハウで法人・自治体のDXを強力に支援〜」(ソフトバンク、2022年8月10日)

「プレスリリース 2022年 水問題の解決に向けて東京都利島村と合意書を締結〜新たな水供給システムの構築に向けてオフグリッド化された住環境を検証〜」（ソフトバンク、WOTA、北良、2022年10月18日）

「プレスリリース 2022年 アスクルがソフトバンクと協業し、中小企業のDX推進を“お困りごと相談”からトータルサポートする新事業『ビズらく』を本日開始〜相談無料で、オリジナル商品を含む32種類のSaaS・通信商品から提案〜」（アスクル、ソフトバンク、2022年10月31日）

「デジタルシフトに全社で挑戦、テクノロジーを駆使して約4,500人月相当の業務時間を創出」（ソフトバンクニュース、2022年10月31日）

「Google Cloud Partner Top Engineer 2023 をソフトバンク社員3名が受賞しました」（ソフトバンククラウドテクノロジーブログ、2022年12月9日）

「プレスリリース 2022年 ジャパネットとソフトバンクが長崎スタジアムシティプロジェクトで連携〜通信を基盤にスマートシティに関する最新テクノロジーを活用し、日本をリードする新たな地域創生モデルの実現を目指す〜」（ジャパネットホールディングス、ソフトバンク、2022年12月19日）

「プレスリリース 2023年 超デジタル社会の実現に向けて、次世代デジタルインフラに関する研究開発を開始〜多種多様なデータを柔軟かつ適切に利活用することで、さまざまな産業のDXを実現〜」（ソフトバンク、2023年3月23日）

「Yahoo! JAPAN、トレジャーデータと連携し、新たにデータクリーンルーム『Yahoo! Data Xross』を本日より提供開始」（ヤフー、トレジャーデータ、2023年4月17日）

「プレスリリース 2023年 NVIDIA、ソフトバンクの生成AIと5G／6G向け次世代データセンターでのGrace Hopper Superchip 活用に向けソフトバンクと協業〜Armベースの Superchip と BlueField-3 DPUを活用した革新的なアーキテクチャーにより、生成AIを活用したワイヤレス通信を実現〜」（NVIDIA、ソフトバンク、2023年5月29日）

「お知らせ 2023年 経産省、東証およびIPAが3年連続でソフトバンクを『DX銘柄』に選定〜情報・通信業で唯一の選定〜」（ソフトバンク、2023年6月1日）

「竹芝地区で推進するスマートシティのプロジェクト『Smart City Takeshiba』でリアルタイムデータを活用した都市課題解決の取り組みを拡大〜都市OSやデジタルツインの活用で防災力の強化や防災業務の効率化などを実証〜」（東急不動産、ソフトバンク、2023年6月5日）

「AIとの共存を支える次世代社会インフラの実現へ －ソフトバンク株式会社 第37回定時株主総会レポート」（ソフトバンクニュース、2023年6月21日）

「プレスリリース 2023年 ソフトバンクのデータサイエンティストが世界最大のAIコンペティションで通算3枚目の金メダルを獲得」（ソフトバンク、2023年7月28日）

「プレスリリース 2023年 クラウドサービスや生成AI領域を中心とした戦略的提携により、日本市場における企業のDXを加速」（ソフトバンク、日本マイクロソフト、2023年8月2日）

「ソフトバンク初。自治体業務へのChatGPT活用に向け宮崎県日向市と共同研究へ」（ソフトバンクニュース、2023年8月3日）

「日本の上下水道の歴史が変わる日。地域の水道問題解決プロジェクト『Water2040』を発表」（ソフトバンクニュース、2023年9月19日）

「ソフトバンクが日建設計を『一本釣り』して合弁会社設立、AI搭載ビルの設計支援で」（日経クロステック、2023年10月31日）

「プレスリリース 2023年 国内最大級の生成AI開発向け計算基盤の稼働および国産大規模言語モデル（LLM）の開発を本格開始～2024年内に3,500億パラメーターの国産LLMを構築～」（ソフトバンク、SB Intuitions、2023年10月31日）

「プレスリリース 2023年 次世代社会インフラ構想の要となる大規模な計算基盤を備えたデータセンター『Core Brain』を構築～北海道苫小牧市に高いデータ処理能力を有するデータセンターを建設、産官学へ計算基盤の提供を予定～」（ソフトバンク、IDCフロンティア、2023年11月7日）

「自治体の生成AI活用最前線。日向市長が語る『日向市モデル』に込めた期待と自治体変革の可能性」（ソフトバンク ビジネスブログ「Future Stride」、2023年11月20日）

「SoftBank World 2023」で開催された講演

※媒体名は記事初出時と異なる場合があります

中村 建助

日経BP　メディアコーディネーター

1990年日経BP入社。日経デザイン編集部、日経ビジネス副編集長、日経エコロジー、日経コンピュータ、日経情報ストラテジーなどの編集長を歴任。経営、IT、DXの動向に詳しい。雑誌、オンラインメディア、書籍の執筆、取材、編集などに30年以上従事。書籍の編集・著書多数。

ソフトバンク もう一つの顔

成長をけん引する課題解決のプロ集団

2024年4月22日　第1版第1刷発行

著者　中村 建助
発行者　浅野 祐一
発行　株式会社日経BP
発売　株式会社日経BPマーケティング
〒105-8308 東京都港区虎ノ門4-3-12
ブックデザイン　小口 翔平＋嵩 あかり（tobufune）
制作　松川 直也（株式会社日経BPコンサルティング）
印刷・製本　図書印刷株式会社

ISBN978-4-296-20432-8